A-Z BRO...

G000277878

CONTENT...

REFERENCE

Motorway	M25	Car Park (Selected) (on Large Scale Page only)	P
A Road	A21	Church or Chapel	†
B Road	B230	Fire Station	■
Dual Carriageway		Hospital	H
One-Way Street — Traffic flow on A roads is indicated by a heavy line on the drivers' left.	➡	House Numbers (A & B Roads only)	2 33
Large Scale Page Only	➡	Information Centre	i
Junction Name	KESTON MARK	National Grid Reference	540
Restricted Access		Police Station	▲
Pedestrianized Road		Post Office	★
Track & Footpath		Toilet (on Large Scale Page only)	▼
Residential Walkway		with Facilities for the Disabled	♿
Railway — Station:	Tunnel / Level Crossing	Educational Establishment	⌐
National Rail Network	⇥	Hospital or Hospice	⌐
Croydon Tramlink — The boarding of Tramlink trams at stops may be limited to a single direction, indicated by the arrow.	Tunnel / Stop	Industrial Building	⌐
Built-Up Area	BOND ST.	Leisure or Recreational Facility	⌐
Local Authority Boundary	— · — · —	Place of Interest	⌐
Postcode Boundary	— — —	Public Building	⌐
Map Continuation	18 / Large Scale Town Centre 34	Shopping Centre or Market	⌐
		Other Selected Buildings	⌐

SCALE

Map Pages 4-33
1:19000   3.33 inches to 1 mile

0	¼	½ Mile
0	250	500	750 Metres

5.26cm to 1km   8.47cm to 1 mile

Map Page 34
1:9500   6.67 inches to 1 mile

0	⅛	¼ Mile
0	100	200	300 Metres

10.53 cm to 1km   16.94 cm to 1 mile

Copyright of Geographers' A-Z Map Company Limited

Head Office :
Fairfield Road, Borough Green, Sevenoaks, Kent TN15 8PP
Tel: 01732 781000 (General Enquiries & Trade Sales)
Showrooms :
44 Gray's Inn Road, London WC1X 8HX
Tel: 020 7440 9500 (Retail Sales)
www.a-zmaps.co.uk

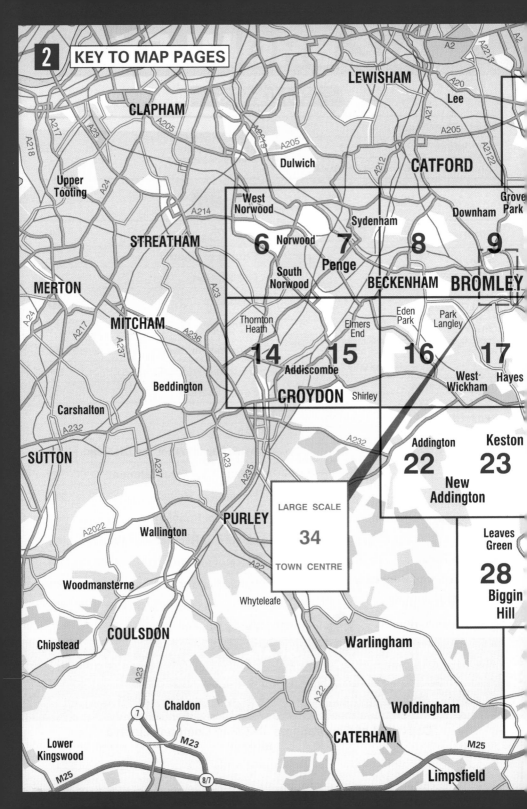

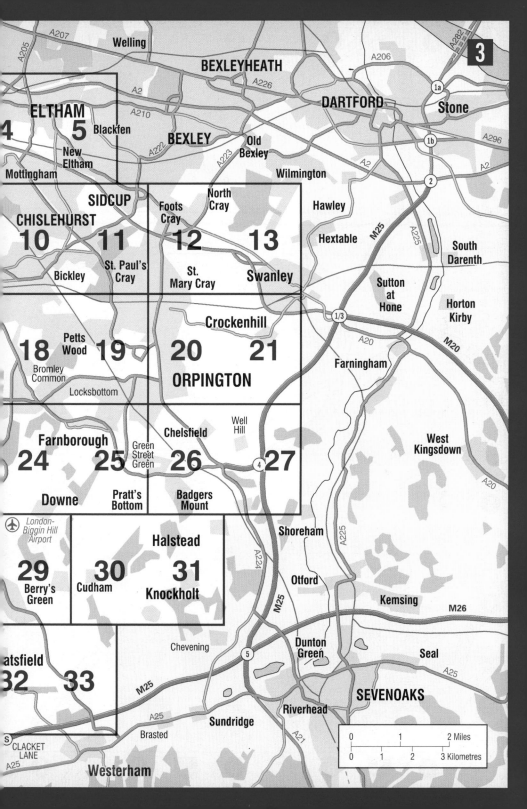

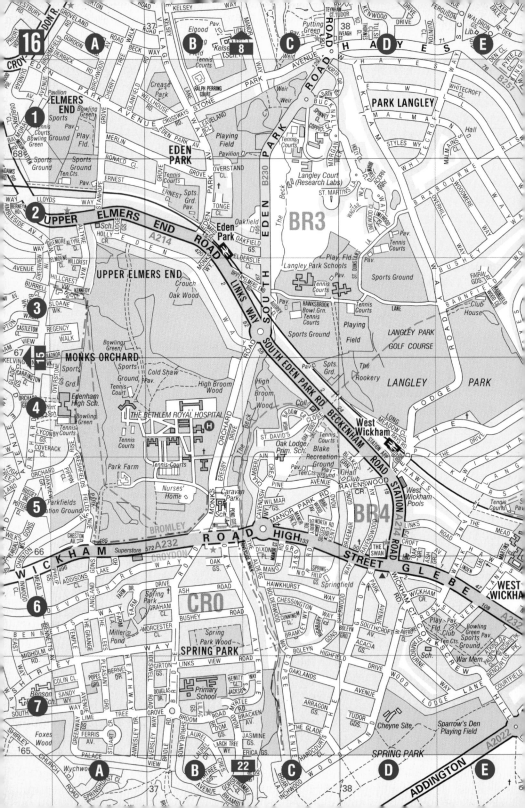

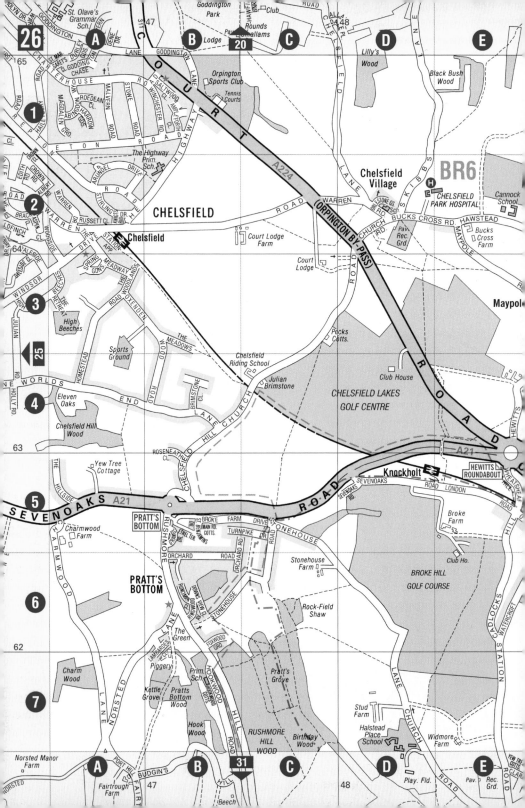

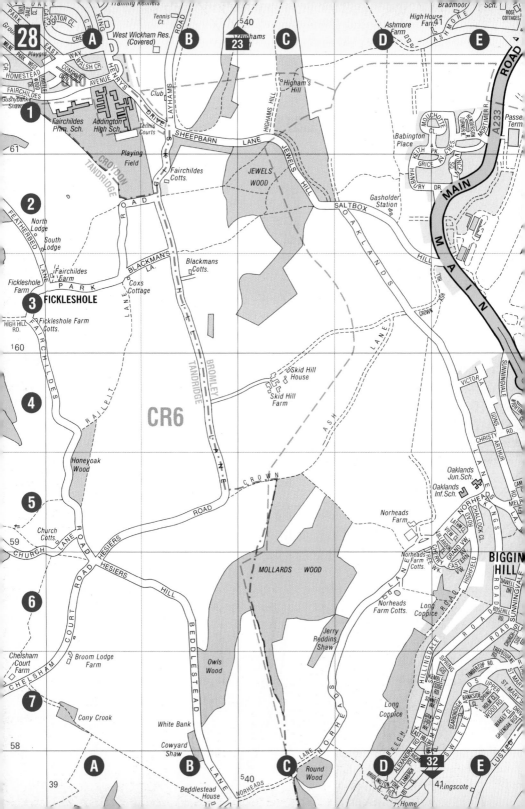

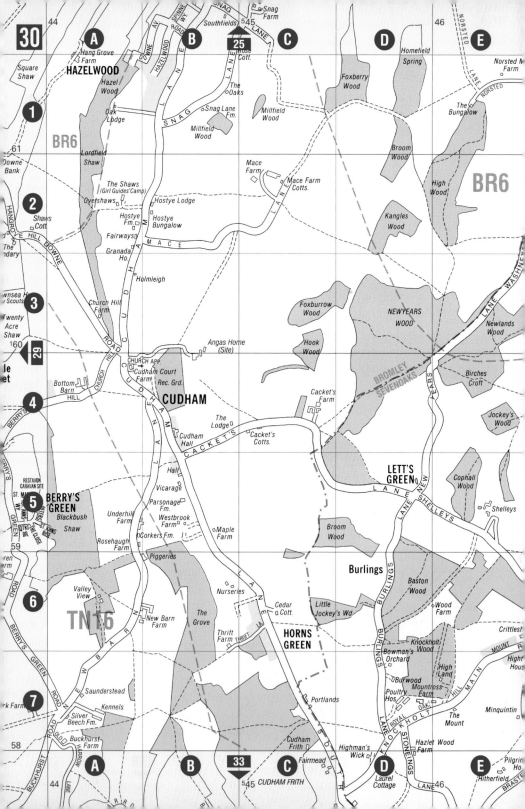

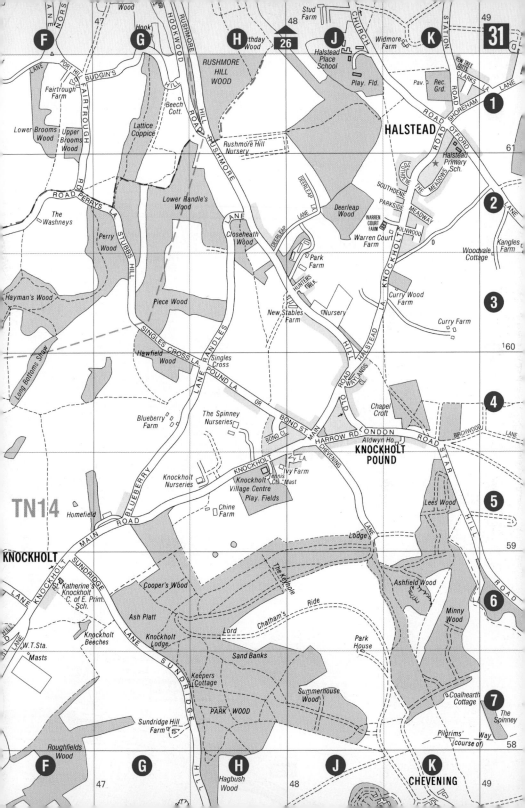

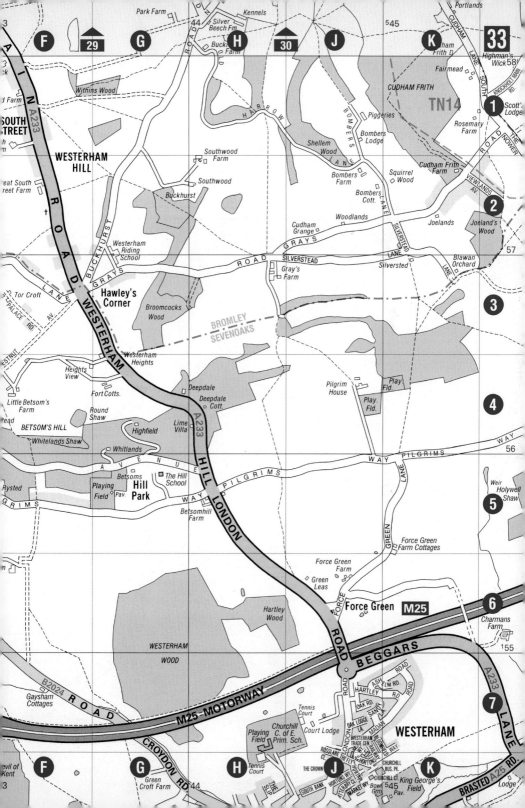

INDEX

Including Streets, Places & Areas, Hospitals & Hospices, Industrial Estates,
Selected Flats & Walkways and Selected Places of Interest.

HOW TO USE THIS INDEX

1. Each street name is followed by its Postal District (or, if outside the London Postal Districts, by its Posttown or Postal Locality), and then by its map reference; e.g. Abbey La. *Beck* ....4B **8** is in the Beckenham Posttown and is to be found in square 4B on page **8**. The page number is shown in bold type.

2. A strict alphabetical order is followed in which Av., Rd., St., etc. (though abbreviated) are read in full and as part of the street name; e.g. Adamsrill Rd. appears after Adam Clo. but before Adams Rd.

3. Streets and a selection of flats and walkways too small to be shown on the maps, appear in the index in *Italics* with the thoroughfare to which it is connected shown in brackets; e.g. *Albert Mans. Croy....5C 14* (off Lansdowne Rd.)

4. Places and areas are shown in the index in **blue type** and the map reference is to the actual map square in which the town centre or area is located and not to the place name shown on the map; e.g. **Badger's Mount 6F 27**

5. An example of a selected place of interest is Bromley Mus. 4A 20

6. An example of a hospital or hospice is BECKENHAM HOSPITAL....6A 8

7. Map references shown in brackets; e.g. Aldermary Rd. *Brom* —5H **9** (1C **34**) refer to entries that also appear on the large scale page **34**.

GENERAL ABBREVIATIONS

All : Alley	Ct : Court	Lit : Little	Rd : Road
App : Approach	Cres : Crescent	Lwr : Lower	Shop : Shopping
Arc : Arcade	Cft : Croft	Mc : Mac	S : South
Av : Avenue	Dri : Drive	Mnr : Manor	Sq : Square
Bk : Back	E : East	Mans : Mansions	Sta : Station
Boulevd : Boulevard	Embkmt : Embankment	Mkt : Market	St. : Street
Bri : Bridge	Est : Estate	Mdw : Meadow	Ter : Terrace
B'way : Broadway	Fld : Field	M : Mews	Trad : Trading
Bldgs : Buildings	Gdns : Gardens	Mt : Mount	Up : Upper
Bus : Business	Gth : Garth	Mus : Museum	Va : Vale
Cvn : Caravan	Ga : Gate	N : North	Vw : View
Cen : Centre	Gt : Great	Pal : Palace	Vs : Villas
Chu : Church	Grn : Green	Pde : Parade	Vis : Visitors
Chyd : Churchyard	Gro : Grove	Pk : Park	Wlk : Walk
Circ : Circle	Ho : House	Pas : Passage	W : West
Cir : Circus	Ind : Industrial	Pl : Place	Yd : Yard
Clo : Close	Info : Information	Quad : Quadrant	
Comn : Common	Junct : Junction	Res : Residential	
Cotts : Cottages	La : Lane	Ri : Rise	

POSTTOWN AND POSTAL LOCALITY ABBREVIATIONS

Badg M : Badgers Mount	*Cud* : Cudham	*Knock* : Knockholt	*Swan* : Swanley
Beck : Beckenham	*Dart* : Dartford	*New Ad* : New Addington	*Tats* : Tatsfield
Berr G : Berrys Green	*Dow* : Downe	*Orp* : Orpington	*T Hth* : Thornton Heath
Bex : Bexley	*Dun G* : Dunton Green	*Oxt* : Oxted	*T'sey* : Titsey
Big H : Biggin Hill	*F'boro* : Farnborough	*Pet W* : Petts Wood	*Warl* : Warlingham
Bras : Brasted	*F'ham* : Farningham	*Prat B* : Pratts Bottom	*Well* : Welling
Brom : Bromley	*G Str* : Green Street Green	*St M* : St Mary Cray	*W'ham* : Westerham
Chels : Chelsfield	*H'std* : Halstead (Braintree)	*St P* : St Pauls Cray	*W Wick* : West Wickham
Chel : Chelsham	*Hals* : Halstead (Sevenoaks)	*Shor* : Shoreham	*Wilm* : Wilmington
Chst : Chislehurst	*Hayes* : Hayes	*Short* : Shortlands	
Crock : Crockenhill	*Hex* : Hextable	*Sidc* : Sidcup	
Croy : Croydon	*Kes* : Keston	*S Croy* : South Croydon	

A

Abbey Gdns. *Chst* 5D **10**
Abbey La. *Beck* 4B **8**
Abbey Pk. *Beck* 4B **8**
Abbey Rd. *Croy* 7A **14**
Abbey Trad. Est. *SE26* 2A **8**
Abbotsbury Rd. *Brom* 6G **17**
Abbots Clo. *Orp* 5F **19**
Aberdare Clo. *W Wick* 6D **16**
Abergeldie Rd. *SE12* 3A **4**
Abingdon Lodge.
    Brom 2A **34**
Abingdon Way. *Orp* 1A **26**
Abinger Clo. *Brom* 7B **10**
Abinger Clo. *New Ad* 3D **22**
Acacia Clo. *SE20* 6F **7**
Acacia Clo. *Orp* 2G **19**
Acacia Gdns. *W Wick* 6D **16**
Acacia Rd. *Beck* 7A **8**

Acacia Wlk. *Swan* 6J **13**
Academy Gdns. *Croy* 5E **14**
Acer Rd. *Big H* 5F **29**
Acorn Clo. *Chst* 2F **11**
Acorn Gdns. *SE19* 5E **6**
Acorn Way. *Beck* 2D **16**
Acorn Way. *Orp* 1E **24**
Adair Clo. *SE25* 7G **7**
Adam Clo. *SE6* 1A **8**
Adamsrill Rd. *SE26* 1J **7**
Adams Rd. *Beck* 2K **15**
Adams Way. *Croy* 3E **14**
Adcock Wlk. *Orp* 1J **25**
Adderley Gdns. *SE9* 1D **10**
Addington **2B 22**
Addington Gro. *SE26* 1K **7**
Addington Heights.
    New Ad 7D **22**
Addington Rd. *Croy* 5A **14**
Addington Rd.
    W Wick 1D **22**

Addington Village Rd.
    Croy 3A **22**
    (in two parts)
Addiscombe **5F 15**
Addiscombe Av. *Croy* 5F **15**
Addiscombe Ct. Rd. *Croy* . . 5D **14**
Addiscombe Gro. *Croy* 6D **14**
Addiscombe Rd. *Croy* 6D **14**
Addison Clo. *Orp* 3F **19**
Addison Dri. *SE12* 2A **4**
Addison Pl. *SE25* 1F **15**
Addison Rd. *SE25* 1F **15**
Addison Rd. *Brom* 2K **17**
Addisons Clo. *Croy* 6A **16**
Adelaide Ct. *Beck* 4A **8**
Adelaide Rd. *Chst* 2E **10**
Admiral Clo. *Orp* 1C **20**
Admiral Seymour Rd. *SE9* . . 1E **4**
Adolf St. *SE6* 1C **8**
Advance Rd. *SE27* 1B **6**
Agaton Rd. *SE9* 6H **5**

Ainsdale Clo. *Orp* 5G **19**
Ainsworth Rd. *Croy* 5A **14**
Airport Ind. Est. *Big H* 4F **29**
Akabusi Clo. *Croy* 3F **15**
Albany M. *Brom* 3H **9**
Albany Rd. *Chst* 2E **10**
Albemarle Pk. *Beck* 5C **8**
Albemarle Rd. *Beck* 5C **8**
Albert Mans. Croy 5C **14**
    (off Lansdowne Rd.)
Albert Rd. *SE9* 7D **4**
Albert Rd. *SE20* 3J **7**
Albert Rd. *SE25* 1F **15**
Albert Rd. *Brom* 2A **18**
Albert Rd. *Chels* 2K **25**
Albert Rd. *St M* 3A **20**
Albert Yd. *SE19* 3D **6**
Albion Pl. *SE25* 7F **7**
Albion St. *Croy* 5A **14**
Albyfield. *Brom* 1C **18**
Alden Ct. *Croy* 7D **14**

Aldermary Rd.—Batchwood Grn.

Aldermary Rd. *Brom* 5H **9** (1C **34**)
Alder Rd. *Sidc* 7K **5**
Aldersgrove Av. *SE9* 7C **4**
Aldersmead Av. *Croy* 3J **15**
Aldersmead Rd. *Beck* 4K **7**
Alders, The. *W Wick* 5C **16**
Alderton Rd. *Croy* 4E **14**
Alder Way. *Swan* 6J **13**
Alderwood Rd. *SE9* 3J **5**
Aldrich Cres. *New Ad* 5D **22**
Aldwick Clo. *SE9* 7J **5**
Alexander Clo. *Brom* 5H **17**
Alexander Clo. *Sidc* 3K **5**
Alexander Ct. *Beck* 5E **8**
Alexander Rd. *Chst* 3E **10**
Alexandra Clo. *Swan* 6K **13**
Alexandra Cres. *Brom* 3G **9**
Alexandra Dri. *SE19* 2D **6**
Alexandra Pl. *SE25* 2C **14**
Alexandra Pl. *Croy* 5D **14**
Alexandra Rd. *SE26* 3J **7**
Alexandra Rd. *Big H* 1A **32**
Alexandra Rd. *Croy* 5D **14**
Alexandra Wlk. *SE19* 2D **6**
Alfan La. *Dart* 2J **13**
Alford Grn. *New Ad* 3E **22**
Alfred Rd. *SE25* 2F **15**
Alice Thompson Clo. *SE12* 6B **4**
Alison Clo. *Croy* 5J **15**
Allandale Pl. *Orp* 7C **20**
Allard Clo. *Orp* 4B **20**
Allenby Rd. *Big H* 6G **29**
Allendale Clo. *SE26* 2J **7**
Allen Rd. *Beck* 6J **7**
Allerford Rd. *SE6* 1C **8**
Alleyn Pk. *SE21* 1D **6**
Alleyn Rd. *SE21* 1D **6**
Allington Rd. *Orp* 6G **19**
Allwood Clo. *SE26* 1J **7**
Alma Pl. *SE19* 4E **6**
Alma Pl. *T Hth* 2A **14**
Alma Rd. *Orp* 6C **20**
Almond Clo. *Brom* 4D **18**
Almond Dri. *Swan* 6J **13**
Almond Way. *Brom* 4D **18**
Alnwick Rd. *SE12* 3A **4**
Alpha Rd. *Croy* 5D **14**
Alpine Clo. *Croy* 7D **14**
Alpine Copse. *Brom* 6D **10**
Altash Way. *SE9* 6E **4**
Alton Gdns. *Beck* 4B **8**
Altyre Clo. *Beck* 2A **16**
Altyre Rd. *Croy* 6C **14**
Altyre Way. *Beck* 2A **16**
Alverstone Gdns. *SE9* 5H **5**
Alverston Gdns. *SE25* 2D **14**
Alwold Cres. *SE12* 3A **4**
Alwyn Clo. *New Ad* 4C **22**
Amadeus Ho. *Brom* 5D **34**
Amberley Clo. *Orp* 2J **25**
Amberley Ct. *Beck* 4A **8**
Amberley Ct. *Sidc* 2B **12**
Amberley Gro. *SE26* 2G **7**
Amberley Gro. *Croy* 4E **14**
Amblecote Clo. *SE12* 7A **4**
Amblecote Meadows. *SE12* 7A **4**
Amblecote Rd. *SE12* 7A **4**
Ambleside. *Brom* 3E **8**
Ambleside Av. *Beck* 2K **15**
Ambrose Clo. *Orp* 7J **19**
Amersham Rd. *Croy* 3B **14**
Amesbury Rd. *Brom* 7A **10**
Amherst Clo. *Orp* 1K **19**
Amherst Dri. *Orp* 1J **19**
Ampleforth Clo. *Orp* 1B **26**
Ancaster M. *Beck* 7J **7**
Ancaster Rd. *Beck* 7J **7**
Andace Pk. Gdns. *Brom* 6K **9**
Andorra Ct. *Brom* 5K **9**
Andover Rd. *Orp* 5G **19**
Andreck Ct. *Beck* 6C **8**
Andrew's Clo. *Orp* 6C **12**
Andrews Pl. *SE9* 3G **5**
Andringham Lodge. *Brom* 2D **34**
Anerley. **6G** 7
Anerley Gro. *SE19* 4E **6**
Anerley Hill. *SE19* 3E **6**
Anerley Pk. *SE20* 4F **7**
Anerley Pk. Rd. *SE20* 4G **7**
Anerley Rd. *SE19 & SE20* 4F **7**
Anerley Sta. Rd. *SE20* 5G **7**
Anerley Va. *SE19* 4E **6**
Angelica Gdns. *Croy* 5J **15**
Anglesea Rd. *Orp* 3B **20**
Annandale Rd. *Croy* 6F **15**
Annandale Rd. *Sidc* 4K **5**
Anne Boleyn Ct. *SE9* 3H **5**
Anne of Cleeves Ct. *SE9* 3J **5**
Annesley Dri. *Croy* 7A **16**
Anne Sutherland Ho. *Beck* 4K **7**
Annsworthy Av. *T Hth* 7C **6**
Annsworthy Cres. *SE25* 6C **6**
Anselm Clo. *Croy* 7E **14**
Ansford Rd. *Brom* 2D **8**
Anstridge Path. *SE9* 3J **5**
Anstridge Rd. *SE9* 3J **5**
Anthony Rd. *SE25* 3F **15**
Antigua Wlk. *SE19* 2C **6**
Aperfield. **6G 29**
Aperfield Rd. *Big H* 6G **29**
Aperfields. *Big H* 6G **29**
Apex Clo. *Beck* 5C **8**
Apollo Av. *Brom* 5J **9** (1D **34**)
Apostle Way. *T Hth* 6A **6**
Appledore Clo. *Brom* 2G **17**
Appledore Cres. *Sidc* 7K **5**
Applegarth. *New Ad* 4C **22**
(in two parts)
Apple Orchard. *Swan* 1J **21**
Appleton Rd. *SE3* 1D **4**
Appletree Clo. *SE20* 5G **7**
Approach Rd. *Tats* 5A **32**
Approach, The. *Orp* 6J **19**
April Clo. *Orp* 2J **25**
April Glen. *SE23* 1J **7**
Apsley Rd. *SE25* 1G **15**
Aragon Clo. *Brom* 5C **18**
Aragon Clo. *New Ad* 6F **23**
Arbor Clo. *Beck* 6C **8**
Arbrook Clo. *Orp* 7K **11**
Arbury Ct. *SE20* 5G **7**
Arbury Ter. *SE26* 1F **7**
Arcade. *Croy* 6B **14**
Arcade, The. Croy 7B **14**
(off High St.)
Archer Rd. *SE25* 1G **15**
Archer Rd. *Orp* 2K **19**
Archers Ct. *Brom* 1J **17** (7E **34**)
Archery Rd. *SE9* 2E **4**
Arcus Rd. *Brom* 3F **9**
Arden Gro. *Orp* 1E **24**
Ardent Clo. *SE25* 7D **6**
Ardingly Clo. *Croy* 7J **15**
Ardley Clo. *SE6* 1K **7**
Arkell Gro. *SE19* 4A **6**
Arkindale Rd. *SE6* 1D **8**
Arlington Clo. *Sidc* 4K **5**
Armistice Gdns. *SE25* 7F **7**
Armstrong Clo. *Brom* 7B **10**
Arne Gro. *Orp* 7J **19**
Arnhem Dri. *New Ad* 7E **22**
Arnulf St. *SE6* 1C **8**
Arnulls Rd. *SW16* 3A **6**
Arpley Sq. SE20 4H **7**
(off High St.)
Arragon Gdns. *W Wick* 7C **16**
Arrol Rd. *Beck* 7H **7**
Arsenal Rd. *SE9* 1E **4**
Arthur Ct. Croy 7D **14**
(off Fairfield Path)
Arthur Rd. *Big H* 4E **28**
Artington Clo. *Orp* 1F **25**
Arun Ct. *SE25* 2F **15**
Arundel Clo. *Croy* 7A **14**
Arundel Ct. *Brom* 6F **9**
Arundel Dri. *Orp* 2A **26**
Arundel Rd. *Croy* 3C **14**
Aschurch Rd. *Croy* 4E **14**
Ascot Ct. *Brom* 6B **10**
Ascot Rd. *Orp* 1J **19**
Ashbourne Ri. *Orp* 1G **25**
Ashburnham Ct. *Beck* 6D **8**
Ashburton Av. *Croy* 5G **15**
Ashburton Clo. *Croy* 5F **15**
Ashburton Gdns. *Croy* 6F **15**
Ashburton Memorial Homes. *Croy* 4G **15**
Ashburton Rd. *Croy* 6F **15**
Ashby Wlk. *Croy* 3B **14**
Ash Clo. *SE20* 6H **7**
Ash Clo. *Orp* 2G **19**
Ash Clo. *Sidc* 1A **12**
Ash Clo. *Swan* 6H **13**
Ashdale Rd. *SE12* 5A **4**
Ashdown Clo. *Beck* 6C **8**
Ashfield Clo. *Beck* 4B **8**
Ashfield La. *Chst* 3E **10**
(in two parts)
Ash Gro. *SE20* 6H **7**
Ash Gro. *W Wick* 6D **16**
Ashgrove Rd. *Brom* 3E **8**
Ashleigh Rd. *SE20* 7G **7**
Ashley Gdns. *Orp* 2H **25**
Ashling Rd. *Croy* 5F **15**
Ashmead Ga. *Brom* 5K **9**
Ashmere Av. *Beck* 6E **8**
Ashmore La. *Kes* 7K **23**
Ash Rd. *Croy* 6B **16**
Ash Rd. *Orp* 4J **25**
Ash Rd. *W'ham* 7J **33**
Ash Row. *Brom* 4D **18**
Ash Tree Clo. *Croy* 3K **15**
Ashtree Clo. *Orp* 1E **24**
Ash Tree Way. *Croy* 2J **15**
Ashurst Clo. *SE20* 5G **7**
Ashurst Wlk. *Croy* 6G **15**
Ashwater Rd. *SE12* 5A **4**
Ashwood Gdns. *New Ad* 3C **22**
Aspen Clo. *Orp* 2K **25**
Aspen Clo. *Swan* 5J **13**
Aspen Copse. *Brom* 6C **10**
Aston Clo. *Sidc* 1K **11**
Aston Pl. *SW16* 3A **6**
Athelstan Way. *Orp* 5K **11**
Atkins Dri. *W Wick* 6E **16**
Atkinson Clo. *Orp* 2K **25**
Atterbury Clo. *W'ham* 7J **33**
Attlee Clo. *T Hth* 2B **14**
Aubyn Hill. *SE27* 1B **6**
Auckland Clo. *SE19* 5E **6**
Auckland Gdns. *SE19* 5D **6**
Auckland Hill. *SE27* 1B **6**
Auckland Ri. *SE19* 5D **6**
Auckland Rd. *SE19* 5E **6**
Audley Wlk. *Orp* 3B **20**
Audrey Clo. *Beck* 3C **16**
Augustine Rd. *Orp* 7C **12**
Augustus La. *Orp* 6K **19**
Austin Av. *Brom* 2B **18**
Austin Rd. *Orp* 3K **19**
Avalon Clo. *Orp* 7C **20**
Avalon Rd. *Orp* 6A **20**
Avard Gdns. *Orp* 1F **25**
Avebury Rd. *Orp* 7G **19**
Avenue Gdns. *SE25* 6F **7**
Avenue Rd. *SE20 & Beck* 5H **7**
Avenue Rd. *SE25* 6E **6**
Avenue Rd. *Tats* 2D **32**
Avenue, The. *SE9* 2E **4**
Avenue, The. *Beck* 5C **8**
(in two parts)
Avenue, The. *Brom* 7A **10**
Avenue, The. *Croy* 7D **14**
Avenue, The. *Kes* 1A **24**
Avenue, The. *Orp* 6J **19**
Avenue, The. *St P* 4A **12**
Avenue, The. *W'ham* 4E **32**
Avenue, The. *W Wick* 4F **17**
Averil Gro. *SW16* 3A **6**
Avery Hill. **3J** 5
Avery Hill Rd. *SE9* 3J **5**
Aviemore Clo. *Beck* 2A **16**
Aviemore Way. *Beck* 2K **15**
Avington Gro. *SE20* 4H **7**
Avondale Rd. *SE9* 6D **4**
Avondale Rd. *Brom* 3F **9**
Avonstowe Clo. *Orp* 7F **19**
Axtaine Rd. *Orp* 4C **20**
Aycliffe Clo. *Brom* 1C **18**
Aylesbury Rd. *Brom* 7H **9** (6B **34**)
Aylesford Av. *Beck* 2K **15**
Aylesham Rd. *Orp* 4J **19**
Aylett Rd. *SE25* 1G **15**
Aynscombe Angle. *Orp* 4K **19**
Azalea Dri. *Swan* 1J **21**

B

Babbacombe Rd. *Brom* 5H **9** (1C **34**)
Backley Gdns. *SE25* 3F **15**
Back Rd. *Sidc* 1K **11**
Badgers Copse. *Orp* 6J **19**
Badgers Cft. *SE9* 7F **5**
Badgers Hole. *Croy* 7J **15**
Badger's Mount. **6F 27**
Badger's Ri. *Badg M* 6F **27**
Badgers Rd. *Badg M* 6G **27**
(in two parts)
Bailey Pl. *SE26* 3J **7**
Baird Gdns. *SE19* 1D **6**
Bakers Ct. *SE25* 7D **6**
Bakers M. *Orp* 3J **25**
Balcaskie Rd. *SE9* 2E **4**
Balder Ri. *SE12* 6A **4**
Balfour Rd. *SE25* 2F **15**
Balfour Rd. *Brom* 2A **18**
Balgowan Rd. *Beck* 7K **7**
Ballamore Rd. *Brom* 7A **4**
Balmoral Av. *Beck* 1K **15**
Balmoral Ct. *SE12* 1J **9**
Balmoral Ct. *SE27* 1B **6**
Balmoral Ct. Beck 5D **8**
(off Avenue, The)
Bamford Rd. *Brom* 2D **8**
Bampton Rd. *SE23* 1J **7**
Banavie Gdns. *Beck* 5D **8**
Bancroft Gdns. *Orp* 5J **19**
Bankfoot Rd. *Brom* 1F **9**
Bankside Clo. *Bex* 1J **13**
Bankside Clo. *Big H* 7E **28**
Bankside Way. *SE19* 3D **6**
Bannister Gdns. *Orp* 7B **12**
Bapchild Pl. *Orp* 1B **20**
Barclay Rd. *Croy* 7C **14**
Barcombe Clo. *Orp* 7J **11**
Bardolph Av. *Croy* 5A **22**
Bardsley Clo. *Croy* 7E **14**
Barfield Rd. *Brom* 7D **10**
Barfreston Way. *SE20* 5G **7**
Bargrove Clo. *SE20* 4F **7**
Barham Clo. *Brom* 5B **18**
Barham Clo. *Chst* 2E **10**
Barham Rd. *Chst* 2E **10**
Baring Clo. *SE12* 6A **4**
Baring Rd. *SE12* 6A **4**
Baring Rd. *Croy* 5F **15**
Bark Hart Rd. *Orp* 5A **20**
Barmouth Rd. *Croy* 6J **15**
Barnard Clo. *Chst* 5G **11**
Barnesdale Cres. *Orp* 3K **19**
Barnet Dri. *Brom* 6B **18**
Barnet Wood Rd. *Brom* 6K **17**
Barnfield Av. *Croy* 6H **15**
Barnfield Clo. *Swan* 4H **21**
Barnfield Rd. *Orp* 7C **12**
Barnfield Rd. *Tats* 2C **32**
Barnfield Wood Clo. *Beck* 3E **16**
Barnfield Wood Rd. *Beck* 3E **16**
Barnhill Av. *Brom* 2G **17**
Barnmead Rd. *Beck* 5J **7**
Baron's Wlk. *Croy* 3K **15**
Barrington Wlk. *SE19* 3D **6**
Barry Clo. *Orp* 7H **19**
Barson Clo. *SE20* 4H **7**
Bartholomew Way. *Swan* 7K **13**
Barton Rd. *Sidc* 3D **12**
Barts Clo. *Beck* 2B **16**
Barwood Av. *W Wick* 5C **16**
Basil Gdns. *SE27* 2B **6**
Basil Gdns. *Croy* 5J **15**
Basket Gdns. *SE9* 2D **4**
Bassett's Clo. *Orp* 1E **24**
Bassett's Way. *Orp* 1E **24**
Baston Mnr. Rd. *Brom* 7J **17**
Baston Rd. *Brom* 5J **17**
Batchwood Grn. *Orp* 7K **11**

Bath Ct.—Bowmead

Bath Ct. SE26 1F 7 (off Droitwich Clo.)
Baths Rd. Brom 1A 18
Battenberg Wlk. SE19 3D 6
Baugh Rd. Sidc 2B 12
Baydon Ct. Brom 7G 9 (6A 34)
Bayfield Rd. SE9 1C 4
Bays Clo. SE26 2H 7
Bay Tree Clo. Brom 5A 10
Beachborough Rd. Brom 1D 8
Beaconsfield Pde. SE9 1B 10
Beaconsfield Rd. SE9 6D 4
Beaconsfield Rd. Brom 7A 10
Beaconsfield Rd. Croy 3C 14
Beadman St. SE27 1A 6
Beadon Rd. Brom 1H 17 (7B 34)
Beagles Clo. Orp 6C 20
Beamish Rd. Orp 4B 20
Beanshaw. SE9 1D 10
Beardell St. SE19 3E 6
Bearsted Ter. Beck 5B 8
Beauchamp Rd. SE19 5C 6
Beaulieu Av. SE26 1G 7
Beaumanor Gdns. SE9 1D 10
Beaumont Rd. SE19 3B 6
Beaumont Rd. Orp 3G 19
Beaverbank Rd. SE9 5J 5
Beaver Clo. SE20 4F 7
Beaver Ct. Beck 4C 8
Beavers Lodge. Sidc 1J 11
Beaverwood Rd. Chst 2H 11
Beblets Clo. Orp 2J 25
Beck Ct. Beck 7J 7
Beckenham 5B 8
Beckenham Bus. Cen. Beck 3K 7
Beckenham Crematorium. Beck 7H 7
Beckenham Gro. Brom 6E 8
Beckenham Hill Est. Beck 2C 8
Beckenham Hill Rd. Beck & SE6 3C 8
BECKENHAM HOSPITAL 6A 8
Beckenham La. Brom 6F 9 (3A 34)
Beckenham Pl. Pk. Beck 4C 8
Beckenham Rd. Beck 5J 7
Beckenham Rd. W Wick 4C 16
Becket Clo. SE25 3F 15
Becketts Clo. Orp 7J 19
Beckett Wlk. Beck 3K 7
Beckford Dri. Orp 4G 19
Beckford Rd. Croy 3E 14
Beck La. Beck 7J 7
Beck River Pk. Beck 5B 8
Beck Way. Beck 7A 8
Becondale Rd. SE19 2D 6
Beddington Grn. Orp 5J 11
Beddington Path. Orp 5J 11
Beddington Rd. Orp 5H 11
Beddlestead La. Warl 6B 28 & 4A 32
Bedens Rd. Sidc 3D 12
Bedford Ct. Croy 5B 14 (off Tavistock Rd.)
Bedford Pk. Croy 5B 14
Bedford Pl. Croy 5C 14
Bedford Rd. Orp 6A 20
Bedford Rd. Sidc 7K 5
Bedgebury Rd. SE9 1C 4
Bedser Clo. T Hth 7B 6
Bedwardine Rd. SE19 4D 6
Beech Av. Tats 1C 32
Beech Copse. Brom 5C 10
Beech Ct. Beck 4A 8
Beech Ct. Brom 2A 34
Beechcroft. Chst 4D 10
Beechcroft Clo. Orp 1G 25
Beechcroft Rd. Orp 1G 25
Beech Dell. Kes 1C 24
Beeches Clo. SE20 5H 7
Beechfield Cotts. Brom 5K 9
Beechfield Rd. Brom 6K 9
Beech Ho. Rd. Croy 7C 14
Beechill Rd. SE9 2F 5
Beechmont Clo. Brom 2F 9
Beech Rd. Big H 1A 32
Beech Rd. Orp 4K 25
Beechwood Av. Orp 2H 25
Beechwood Av. T Hth 1A 14
Beechwood Dri. Kes 1A 24
Beechwood Ri. Chst 1E 10
Beechwoods Ct. SE19 2E 6
Beeken Dene. Orp 1F 25
Beggars La. W'ham 7J 33
Belcroft Clo. Brom 4G 9
Beldam Haw. Hals 7F 27
Belfast Rd. SE25 1G 15
Belgrave Clo. Orp 1B 20
Belgrave Rd. SE25 1E 14
Belgravia Gdns. Brom 3F 9
Bellefield Rd. Orp 2A 20
Bellevue Pk. T Hth 7B 6
Belle Vue Rd. Orp 6D 24
Bellfield. Croy 5A 22
Bell Gdns. Orp 2B 20
Bell Green 1K 7
Bell Grn. SE26 1A 8
Bell Grn. La. SE26 2A 8
Bell Hill. Croy 6B 14
Bellingham 1C 8
Bellingham Grn. SE6 1B 8
Bell Mdw. SE19 2D 6
Belmont La. Chst 2E 10 (in two parts)
Belmont Pde. Chst 2F 11
Belmont Rd. SE25 2G 15
Belmont Rd. Beck 6K 7
Belmont Rd. Chst 2E 10
Belton Rd. Sidc 1K 11
Belvedere Rd. SE19 4E 6
Belvedere Rd. Big H 7H 29
Belvoir Clo. SE9 7D 4
Benbury Clo. Brom 2D 8
Bencurtis Pk. W Wick 7E 16
Benedict Clo. Orp 7H 19
Benenden Grn. Brom 2H 17
Bennetts Av. Croy 6K 15
Bennetts Copse. Chst 3B 10
Bennetts Way. Croy 6K 15
Bensham Clo. T Hth 1B 14
Bensham Gro. T Hth 6B 6
Bensham La. T Hth & Croy 2A 14
Bensham Mnr. Rd. T Hth 1B 14
Benson Rd. Croy 7A 14
Bentfield Gdns. SE9 7C 4
Bentons La. SE27 1B 6
Benton's Ri. SE27 2C 6
Bercta Rd. SE9 6H 5
Berens Ct. Sidc 1J 11
Berens Rd. Orp 2C 20
Berens Way. Chst 7J 11
Beresford Dri. Brom 7B 10
Berger Clo. Orp 3G 19
Berkeley Clo. Orp 4H 19
Berkeley Ct. Croy 7C 14 (off Coombe Rd.)
Berkeley Ct. Swan 7K 13
Berkshire Ho. SE6 1B 8
Bernel Dri. Croy 7A 16
Berne Rd. T Hth 2B 14
Berney Ho. Beck 2K 15
Berney Rd. Croy 4C 14
Berridge Rd. SE19 2C 6
Berryfield Clo. Brom 5B 10
Berryhill. SE9 1G 5
Berryhill Gdns. SE9 1G 5
Berrylands. Orp 7B 20
Berry La. SE21 1C 6
Berryman's La. SE26 1J 7
Berry's Green 5K 29
Berry's Grn. Rd. Berr G 5K 29
Berry's Hill. Berr G 5K 29
Bertha Hollamby Ct. Sidc 2B 12 (off Sidcup Hill)
Bertha James Ct. Brom 1J 17 (7E 34)
Bertie Rd. SE26 3J 7
Bert Rd. T Hth 2B 14
Berwick Cres. Sidc 4K 5
Berwick Way. Orp 5K 19
Best Ter. Swan 3H 21
Betchworth Way. New Ad 5D 22
Bethersden Clo. Beck 4A 8
BETHLEM ROYAL HOSPITAL, THE. 4B 16
Betony Clo. Croy 5J 15
Betts Clo. Beck 6K 7
Betts Way. SE20 5G 7
Beulah Av. T Hth 6B 6
Beulah Cres. T Hth 6B 6
Beulah Gro. Croy 3B 14
Beulah Hill. SE19 3A 6
Beulah Rd. T Hth 7B 6
Bevan Pl. Swan 1K 21
Beverley Av. Sidc 4K 5
Beverley Ho. Brom 2E 8 (off Brangbourne Rd.)
Beverley Rd. SE20 6G 7
Beverley Rd. Brom 6B 18
Beverstone Rd. T Hth 1A 14
Bevill Clo. SE25 7F 7
Bevington Rd. Beck 6C 8
Bewlys Rd. SE27 2A 6
Bexley La. Sidc 1B 12
Bexley Rd. SE9 2G 5
Bickley 7B 10
Bickley Cres. Brom 1B 18
Bickley Pk. Rd. Brom 7B 10
Bickley Rd. Brom 6A 10
Bicknor Rd. Orp 4H 19
Bidborough Clo. Brom 2G 17
Biddenden Way. SE9 1D 10
Biggin Hill 6F 29
Biggin Hill. SE19 5A 6
Biggin Hill Airport 1F 29
Biggin Hill Bus. Pk. Big H 4F 29
Biggin Way. SE19 4A 6
Bigginwood Rd. SW16 4A 6
Bill Hamling Clo. SE9 6E 4
Billinton Hill. Croy 6C 14
Bilsby Gro. SE9 1A 10
Bingham Rd. Croy 5F 15
Birbetts Rd. SE9 6E 4
Birchanger Rd. SE25 2F 15
Birches, The. Brom 7A 34
Birches, The. Orp 1D 24
Birches, The. Swan 6K 13
Birchington Clo. Orp 5B 20
Birchmead. Orp 6D 18
Birch Row. Brom 4D 18
Birch Tree Av. W Wick 2G 23
Birch Tree Way. Croy 6G 15
Birchwood Av. Beck 1A 16
Birchwood Av. Sidc 1A 12
Birchwood Dri. Dart 1K 13
Birchwood La. Knock 4K 31
Birchwood Pde. Dart 1K 13
Birchwood Pk. Av. Swan 7K 13
Birchwood Rd. Orp 1G 19
Birchwood Rd. Swan & Dart 5H 13
Birdbrook Rd. SE3 1B 4
Birdham Clo. Brom 2B 18
Birdhouse La. Orp 4H 29
Bird in Hand La. Brom 6A 10
Birkbeck Rd. Beck 6H 7
Birkbeck Rd. Sidc 1K 11
Birkdale Clo. Orp 4G 19
Birkdale Gdns. Croy 7J 15
Bisenden Rd. Croy 6D 14
Bishop Butt Clo. Orp 7J 19
Bishops Av. Brom 6K 9
Bishop's Clo. SE9 6H 5
Bishops Grn. Brom 5J 9 (off Up. Park Rd.)
Bishop's Rd. Croy 4A 14
Bishopsthorpe Rd. SE26 1J 7
Bishops Wlk. Chst 5F 11
Bishops Wlk. Croy 2A 22
Blackberry Fld. Orp 5K 11
Blackbrook La. Brom 2C 18
Blackfen Rd. Sidc 3K 5
Black Horse La. Croy 4F 15
Blackhorse Rd. Sidc 1K 11
Blacklands Rd. SE6 1D 8
Blackman's La. Warl 3A 28
Blackness La. Kes 5A 24
Blacksmith's La. Orp 2B 20
Blackthorne Av. Croy 5H 15
Blackthorn Rd. Big H 5F 29
Blair Clo. Sidc 2K 5
Blair Ct. Beck 5C 8
Blakeney Av. Beck 5A 8
Blakeney Rd. Beck 4A 8
Blake Rd. Croy 6D 14
Blake's Grn. W Wick 5D 16
Blanchard Clo. SE9 7D 4
Blandford Av. Beck 6K 7
Blandford Rd. Beck 7H 7
Bland St. SE9 1C 4
Blanmerle Rd. SE9 5G 5
Blann Clo. SE9 3C 4
Blean Gro. SE20 4H 7
Blendon Path. Brom 4G 9
Blenheim Ct. Brom 1G 17
Blenheim Ct. Sidc 7J 5
Blenheim Rd. SE20 4H 7
Blenheim Rd. Brom 1B 18
Blenheim Rd. Orp 6B 20
Blenheim Shop. Cen. SE20 4H 7
Bletchingley Clo. T Hth 1A 14
Bloomfield Rd. Brom 2A 18
Bloomfield Ter. W'ham 7J 33
Bloom Gro. SE27 1A 6
Bloomhall Rd. SE19 2C 6
Bloxam Gdns. SE9 2D 4
Bluebell Clo. SE26 1E 6
Bluebell Clo. Orp 6F 19
Blueberry La. Knock 5G 31
Blue Riband Ind. Est. Croy 6A 14
Blunts Rd. SE9 2F 5
Blyth Ct. Brom 2A 34
Blythe Hill. Orp 5J 11
Blyth Rd. Brom 5G 9 (2A 34)
Blyth Wood Pk. Brom 5G 9 (2A 34)
Bodmin Clo. Orp 5B 20
Bodmin Pl. SE27 1A 6
Bogey La. Orp 4D 24
Bolderwood Way. W Wick 6C 16
Boleyn Gdns. W Wick 6C 16
Boleyn Gro. W Wick 6D 16
Bolton Clo. SE20 6F 7
Bolton Gdns. Brom 3G 9
Bombers La. W'ham 1J 33
Bonar Pl. Chst 4B 10
Bonchester Clo. Chst 4D 10
Bond Clo. Knock 4H 31
Bond St. Knock 4H 31
Bon Marche Ter. M. SE27 1D 6
Bonney Way. Swan 6K 13
Bonville Rd. Brom 2G 9
Booth Rd. Croy 6A 14
Border Cres. SE26 2G 7
Border Gdns. Croy 1C 22
Border Rd. SE26 2G 7
Borkwood Pk. Orp 1J 25
Borkwood Way. Orp 1H 25
Borough Hill. Croy 7A 14
Borough Rd. Tats 3C 32
Bosbury Rd. SE6 1D 8
Bosco Clo. Orp 1J 25
Boscombe Ho. Croy 5C 14 (off Sydenham Rd.)
Bostall Rd. Orp 4A 12
Boswell Clo. Orp 3B 20
Boswell Rd. T Hth 1B 14
Botany Bay La. Chst 7F 11
Bothwell Rd. New Ad 6D 22
Boughton Av. Brom 4G 17
Boulogne Rd. Croy 3B 14
Boundary Clo. SE25 6F 7
Boundary Rd. Sidc 2K 5
Boundary Way. Croy 2B 22
Bourbon Ho. SE6 2D 8
Bourdon Rd. SE20 6H 7
Bourne Rd. Brom 1A 18
Bourneside Gdns. SE6 2D 8
Bourne St. Croy 6A 14
Bourne Va. Brom 5G 17
Bourne Way. Brom 6G 17
Bourne Way. Swan 7H 13
Bournewood Rd. Orp 4A 20
Bowen Dri. SE21 1D 6
Bowens Wood. Croy 5A 22
Bowers Rd. Shor 7K 27
Bowley Clo. SE19 3E 6
Bowley La. SE19 2E 6
Bowmead. SE9 6E 4

Carmine Ct.—Cobham Clo.

Carmine Ct. *Brom* 4G **9**
Carnac St. *SE27* 1C **6**
Carnecke Gdns. *SE9* 2D **4**
Carolina Rd. *T Hth* 6A **6**
Caroline Clo. *Croy* 7D **14**
Caroline Ct. *SE6* 1E **8**
Carolyn Dri. *Orp* 7K **19**
Carrington Clo. *Croy* 4K **15**
Carstairs Rd. *SE6* 1D **8**
Carters Hill Clo. *SE9* 5B **4**
Cascade Clo. *Orp* 7B **12**
Cascades. *Croy* 6A **22**
Casewick Rd. *SE27* 2A **6**
Cassland Rd. *T Hth* 1C **14**
Castle Clo. *Brom* 7F **9**
Castlecombe Rd. *SE9* 1B **10**
Castle Ct. *SE26* 1K **7**
Castledine Rd. *SE20* 4G **7**
Castleford Av. *SE9* 5G **5**
Castle Hill Av. *New Ad* 5C **22**
Castleton Clo. *Croy* 3K **15**
Castleton Rd. *SE9* 1A **10**
Cathcart Dri. *Orp* 6H **19**
Catherine Howard Ct. *SE9* 3J **5**
Catherine of Aragon Ct. *SE9* 3H **5**
Catherine Parr Ct. *SE9* 3J **5**
Catling Clo. *SE23* 1H **7**
Cator Clo. *New Ad* 7F **23**
Cator Cres. *New Ad* 7F **23**
Cator La. *Beck* 5A **8**
Cator Rd. *SE26* 3J **7**
Cattistock Rd. *SE9* 2B **10**
Cavendish Rd. *Croy* 5A **14**
Cavendish Way. *W Wick* 5C **16**
Caveside Clo. *Chst* 5D **10**
Cawnpore St. *SE19* 2D **6**
Caygill Clo. *Brom* 1G **17** (7A **34**)
Cecil Way. *Brom* 5H **17**
Cedar Clo. *Brom* 7B **18**
Cedar Clo. *Swan* 6H **13**
Cedar Copse. *Brom* 6C **10**
Cedar Cres. *Brom* 7B **18**
Cedarhurst. *Brom* 4F **9**
Cedarhurst Dri. *SE9* 2B **4**
Cedar Mt. *SE9* 5C **4**
Cedar Rd. *Brom* 6K **9**
Cedar Rd. *Croy* 6C **14**
Cedars Rd. *Beck* 6K **7**
Cedar Tree Gro. *SE27* 2A **6**
Cedric Rd. *SE9* 7H **5**
Celtic Av. *Brom* 7F **9**
Central Hill. *SE19* 2B **6**
Central Pde. SE20 *4J 7* *(off High St.)*
Central Pde. *New Ad* 6D **22**
Central Pl. *SE25* 2F **15**
Central Ter. *Beck* 7J **7**
Centre Comn. Rd. *Chst* 3F **11**
Chadd Dri. *Brom* 7B **10**
Chaffinch Av. *Croy* 3J **15**
Chaffinch Bus. Pk. *Beck* 1J **15**
Chaffinch Clo. *Croy* 2J **15**
Chaffinch Rd. *Beck* 5K **7**
Chaldon Ct. *SE19* 5C **6**
Chalet Clo. *Bex* 1J **13**
Chalfont Rd. *SE25* 7E **6**
Chalford Rd. *SE21* 1C **6**
Chalkenden Clo. *SE20* 4G **7**
Chalk Pit Av. *Orp* 7B **12**
Challin St. *SE20* 5H **7**
Challock Clo. *Big H* 5E **28**
Chamberlain Cres. *W Wick* 5C **16**
Champion Cres. *SE26* 1K **7**
Champion Rd. *SE26* 1K **7**
Champness Clo. *SE27* 1C **6**
Chancery La. *Beck* 6C **8**
Chanctonbury Clo. *SE9* 7G **5**
Chandlers Ct. *SE12* 5A **4**
Chantry Clo. *Sidc* 2D **12**
Chantry La. *Brom* 2A **18**
Chapel Farm Rd. *SE9* 7E **4**
Chapel Rd. *SE27* 1A **6**
Chapel Wlk. *Croy* 6B **14**
Chapman's La. *Orp* 6C **12** (in two parts)
Charing Clo. *Orp* 1J **25**
Charing Ct. *Brom* 6F **9**
Charldane Rd. *SE9* 7G **5**
Charles Clo. *Sidc* 1A **12**
Charlesfield. *SE9* 7B **4**
Charles Rd. *Badg M* 7G **27**
Charles St. *Croy* 7B **14**
Charleville Cir. *SE26* 2F **7**
Charlotte Pk. Av. *Brom* 7B **10**
Charlton Dri. *Big H* 6F **29**
Charlwood. *Croy* 5A **22**
Charminster Rd. *SE9* 1A **10**
Charmwood La. *Orp* 5A **26**
Charnock. *Swan* 1K **21** (in two parts)
Charnwood Rd. *SE25* 2C **14**
Charrington Rd. *Croy* 6B **14**
Chart Clo. *Brom* 5F **9**
Chart Clo. *Croy* 3H **15**
Charterhouse Rd. *Orp* 7K **19**
Charters Clo. *SE19* 2D **6**
Chartham Gro. *SE27* 1A **6**
Chartham Rd. *SE25* 7G **7**
Chartwell Clo. *SE9* 6J **5**
Chartwell Clo. *Croy* 5C **14**
Chartwell Dri. *Orp* 2G **25**
Chartwell Lodge. *Beck* 4B **8**
Chartwell Way. *SE20* 5G **7**
Chase, The. *Brom* 7J **9** (5D **34**)
Chatfield Rd. *Croy* 5A **14**
Chatham Av. *Brom* 4G **17**
Chatsworth Av. *Brom* 1J **9**
Chatsworth Clo. *W Wick* 6G **17**
Chatsworth Ho. *Brom* 7B **34**
Chatsworth Pde. *Orp* 2F **19**
Chatsworth Rd. *Croy* 7C **14**
Chatterton Rd. *Brom* 1A **18**
Chaucer Grn. *Croy* 4G **15**
Chaundrye Clo. *SE9* 3E **4**
Chelford Rd. *Brom* 2E **8**
Chelsea Ct. *Brom* 7B **10**
Chelsfield 2A **26**
Chelsfield Gdns. *SE26* 1H **7**
Chelsfield Hill. *Orp* 5B **26**
Chelsfield La. *Orp* (BR5) 4C **20**
Chelsfield La. *Orp* (BR6) 4F **27**
CHELSFIELD PARK HOSPITAL 2D **26**
Chelsfield Rd. *Orp* 3B **20**
Chelsfield Village 2D **26**
Chelsham Ct. Rd. *Warl* 7A **28**
Chelsiter Ct. *Sidc* 1J **11**
Cheltenham Rd. *Orp* 7K **19**
Chenies, The. *Orp* 3H **19**
Chenies, The. *Wilm* 1K **13**
Chepstow Ri. *Croy* 7D **14**
Chepstow Rd. *Croy* 7D **14**
Chequers Clo. *Orp* 1J **19**
Chequers Pde. SE9 *3E 4* *(off Eltham High St.)*
Cheriton Av. *Brom* 2G **17**
Cheriton Ct. *SE12* 4A **4**
Cherry Av. *Swan* 1J **21**
Cherrycot Hill. *Orp* 1F **25**
Cherrycot Ri. *Orp* 1F **25**
Cherry Orchard Clo. *Orp* 2B **20**
Cherry Orchard Gdns. *Croy* 5C **14**
Cherry Orchard Rd. *Brom* 6B **18**
Cherry Orchard Rd. *Croy* 6C **14**
Cherry Tree Wlk. *Beck* 1A **16**
Cherry Tree Wlk. *Big H* 6E **28**
Cherry Tree Wlk. *W Wick* 1G **23**
Cherry Wlk. *Brom* 5H **17**
Chertsey Cres. *New Ad* 6D **22**
Chesham Av. *Orp* 3E **18**
Chesham Cres. *SE20* 5H **7**
Chesham Rd. *SE20* 6H **7**
Chesney Cres. *New Ad* 4D **22**
Chessell Clo. *T Hth* 1A **14**
Chessington Way. *W Wick* 6C **16**
Chester Ct. *Brom* 7B **34**
Chesterfield Clo. *Orp* 1D **20**
Chester Rd. *Sidc* 2K **5** (in two parts)
Chestnut Av. *W'ham* 4C **32**
Chestnut Av. *W Wick* 2F **23**
Chestnut Clo. *SE6* 2D **8**
Chestnut Clo. *Orp* 2K **25**
Chestnut Gro. *SE20* 4G **7**
Chestnut Gro. *Dart* 1J **13**
Cheston Av. *Croy* 6K **15**
Cheveney Wlk. *Brom* 7H **9** (5B **34**)
Chevening 7K **31**
Chevening La. *Knock* 4J **31**
Chevening Rd. *SE19* 3C **6**
Cheviot Gdns. *SE27* 1A **6**
Cheviot Rd. *SE27* 2A **6**
Cheyne Clo. *Brom* 7B **18**
Cheyne Wlk. *Croy* 6F **15**
Chichele Gdns. *Croy* 7D **14**
Chichester M. *SE27* 1A **6**
Chichester Rd. *Croy* 7D **14**
Child's La. *SE19* 3D **6**
Chilham Rd. *SE9* 1B **10**
Chilham Way. *Brom* 4H **17**
Chiltern Clo. *Croy* 7D **14**
Chiltern Gdns. *Brom* 1G **17** (7A **34**)
Chilterns, The. *Brom* 3E **34**
Chinbrook Cres. *SE12* 7A **4**
Chinbrook Rd. *SE12* 7A **4**
Chingley Clo. *Brom* 3F **9**
Chipperfield Rd. *Orp & St P* 5K **11**
Chipstead Av. *T Hth* 1A **14**
Chipstead Clo. *SE19* 4E **6**
Chisholm Rd. *Croy* 6D **14**
Chislehurst 3E **10**
Chislehurst Caves 5D **10**
Chislehurst Rd. *Brom & Chst* 6A **10**
Chislehurst Rd. *Orp* 1H **19**
Chislehurst Rd. *Sidc* 2K **11**
Chislehurst West 2D **10**
Chislet Clo. *Beck* 4B **8**
Chive Clo. *Croy* 5J **15**
Chorleywood Cres. *Orp* 6J **11**
Christ Chu. Rd. *Beck* 6B **8**
Christchurch Rd. *Sidc* 1J **11**
Christian Fields. *SW16* 4A **6**
Christie Dri. *Croy* 2F **15**
Christies Av. *Badg M* 6F **27**
Christy Rd. *Big H* 4E **28**
Chudleigh. *Sidc* 1A **12**
Chulsa Rd. *SE26* 2G **7**
Church All. *Croy* 5A **14**
Church App. *SE21* 1C **6**
Church App. *Cud* 4A **30**
Church Av. *Beck* 5B **8**
Church Av. *Sidc* 2K **11**
Churchbury Rd. *SE9* 4B **4**
Churchdown. *Brom* 1F **9**
Church Dri. *W Wick* 7F **17**
Church Farm Clo. *Swan* 3H **21**
Churchfields Rd. *Beck* 6J **7**
Church Hill. *Cud* 4A **30**
Church Hill. *Orp* 4K **19**
Church Hill. *Tats* 4C **32**
Church Hill Wood. *Orp* 2J **19**
Churchill Bus. Pk. *W'ham* 7K **33**
Churchill Ct. *Orp* 2F **25**
Churchill Ct. *W'ham* 7J **33**
Churchill Theatre 6H **9** (4B **34**)
Churchill Way. *Big H* 2F **29**
Churchill Way. *Brom* 6H **9** (4B **34**)
Church La. *Brom* 5B **18**
Church La. *Chel* 6A **28**
Church La. *Chst* 5F **11**
Church La. *Tats* 4C **32**
Churchley Rd. *SE26* 1G **7**
Church Path. *Croy* 6B **14** (in two parts)
Church Rd. *SE19* 5D **6**
Church Rd. *Big H* 6F **29**
Church Rd. *Brom* 6H **9** (3B **34**)
Church Rd. *Chels & Orp* 4B **26**
Church Rd. *Croy* 7B **14** (in two parts)
Church Rd. *F'boro* 2F **25**
Church Rd. *Hals* 7D **26**
Church Rd. *Kes* 4A **24**
Church Rd. *Short* 7F **9**
Church Rd. *Sidc* 1K **11**
Church Rd. *Swan* 4J **21**
Church Row. *Chst* 5F **11**
Church Row M. *Chst* 4F **11**
Churchside Clo. *Big H* 6E **28**
Church St. *Croy* 7A **14**
Church Vw. *Swan* 7J **13**
Chyngton Clo. *Sidc* 7K **5**
Cinderford Way. *Brom* 1F **9**
Cintra Pk. *SE19* 4E **6**
Cissbury Ho. *SE26* 1F **7**
Clacket La. *W'ham* 6D **32**
Clairville Point. SE23 *1J 7* *(off Dacres Rd.)*
Clare Corner. *SE9* 4G **5**
Claremont Clo. *Orp* 1D **24**
Claremont Rd. *Brom* 1B **18**
Claremont Rd. *Croy* 5F **15**
Claremont Rd. *Swan* 4K **13**
Clarence Av. *Brom* 1B **18**
Clarence Cres. *Sidc* 1A **12**
Clarence Rd. *SE9* 6D **4**
Clarence Rd. *Big H* 7H **29**
Clarence Rd. *Brom* 7A **10**
Clarence Rd. *Croy* 4C **14**
Clarence Rd. *Sidc* 1A **12**
Clarenden Pl. *Dart* 2K **13**
Clarendon Clo. *Orp* 7K **11**
Clarendon Ct. Beck *5C 8* *(off Albemarle Rd.)*
Clarendon Grn. *Orp* 1K **19**
Clarendon Gro. *Orp* 1K **19**
Clarendon Path. *Orp* 1K **19** (in two parts)
Clarendon Rd. *Croy* 6A **14**
Clarendon Way. *Chst & Orp* 7J **11**
Claret Gdns. *SE25* 7D **6**
Clareville Rd. *Orp* 6F **19**
Clarks La. *Hals* 1K **31**
Clarks La. *T'sey & Tats* 5A **32**
Clarks La. *W'ham* 5C **32**
Claybourne M. *SE19* 4D **6**
Claybridge Rd. *SE12* 1K **9**
Clay Farm Rd. *SE9* 6H **5**
Claygate Cres. *New Ad* 3D **22**
Clayhill Cres. *SE9* 1A **10**
Claywood Clo. *Orp* 4H **19**
Cleave Av. *Orp* 3H **25**
Cleaverholme Clo. *SE25* 3G **15**
Clegg Ho. *SE3* 1A **4**
Clement Rd. *Beck* 6J **7**
Clevedon Rd. *SE20* 5J **7**
Cleve Rd. *Sidc* 1C **12**
Cleves Cres. *New Ad* 7D **22**
Clifford Av. *Chst* 3C **10**
Clifford Rd. *SE25* 1F **15**
Clifton Clo. *Orp* 2F **25**
Clifton Ct. *Beck* 5C **8**
Clifton Rd. *SE25* 1D **14**
Clifton Rd. *Sidc* 1H **11**
Cliftonville Ct. *SE12* 5A **4**
Clive Pas. *SE21* 1C **6**
Clive Rd. *SE21* 1C **6**
Clockhouse Ct. *Beck* 6K **7**
Clock Ho. Rd. *Beck* 7K **7**
Cloister Gdns. *SE25* 3G **15**
Cloisters Av. *Brom* 2C **18**
Cloonmore Av. *Orp* 1J **25**
Close, The. *SE25* 3F **15**
Close, The. *Beck* 1K **15**
Close, The. *Berr G* 5K **29**
Close, The. *Orp* 3H **19**
Close, The. *Sidc* 1A **12**
Clovelly Gdns. *SE19* 5E **6**
Clovelly Way. *Orp* 3J **19**
Cloverdale Gdns. *Sidc* 3K **5**
Club Gdns. Rd. *Brom* 4H **17**
Clyde Rd. *Croy* 6E **14**
Coach Ho. M. *SE20* 4G **7**
Coates Hill Rd. *Brom* 6D **10**
Cobbett Rd. *SE9* 1D **4**
Cobblestone Pl. *Croy* 5B **14**
Cobbsthorpe Vs. *SE26* 1J **7**
Cobden Ct. *Brom* 1K **17**
Cobden M. *SE26* 2G **7**
Cobden Rd. *SE25* 2F **15**
Cobden Rd. *Orp* 1G **25**
Cobham Clo. *Brom* 4B **18**

Cobland Rd. *SE12* 1K **9**
Cockerhurst Rd. *Shor* 3J **27**
Cockmannings La. *Orp* 5C **20**
Cockmannings Rd. *Orp* 4C **20**
Cocksett Av. *Orp* 3H **25**
Cocksure La. *Sidc* 1F **13**
Coe Av. *SE25* 3F **15**
Colby M. *SE19* 2D **6**
Colby Rd. *SE19* 2D **6**
Coldharbour Crest. *SE9* 7F **5**
Colebrooke Ct. Sidc 1A 12 (off Granville Rd.)
Colebrooke Ri. *Brom* 6F **9**
Coleman Clo. *SE25* 6F **7**
Colemans Heath. *SE9* 7F **5**
Colepits Wood Rd. *SE9* 2H **5**
Coleridge Rd. *Croy* 4H **15**
Coleridge Way. *Orp* 3K **19**
Colesburg Rd. *Beck* 7A **8**
Colin Clo. *Croy* 7A **16**
Colin Clo. *W Wick* 7G **17**
College Grn. *SE19* 4D **6**
College Rd. *SE21 & SE19* 1E **6**
College Rd. *Brom* 5H **9** (2B **34**)
College Rd. *Croy* 6C **14**
College Rd. *Swan* 5K **13**
College Slip. *Brom* 5H **9** (3B **34**) (in two parts)
College Vw. *SE9* 5C **4**
Colliers Ct. *Croy* 7C **14**
Colliers Shaw. *Kes* 2A **24**
Colliers Water La. *T Hth* 2A **14**
Collingtree Rd. *SE26* 1H **7**
Collingwood Clo. *SE20* 5G **7**
Colson Rd. *Croy* 6D **14**
Colview Ct. *SE9* 5C **4**
Colvin Clo. *SE26* 2H **7**
Colworth Rd. *Croy* 5F **15**
Colyer Clo. *SE9* 6G **5**
Combe Dene. *Brom* 7A **34**
Commonside. *Kes* 1K **23**
Comport Grn. *New Ad* 1A **28**
Compton Ct. *SE19* 3D **6**
Compton Rd. *Croy* 5G **15**
Concorde Bus. Pk. *Big H* 4F **29**
Coney Hall 1F **23**
Coney Hall Pde. *W Wick* 7F **17**
Coney Hill Rd. *W Wick* 6F **17**
Congreve Rd. *SE9* 1E **4**
Conifer Clo. *Orp* 1G **25**
Conifer Way. *Swan* 5H **13**
Coniffe Ct. *SE9* 2G **5**
Conisborough Cres. *SE6* 1D **8**
Coniscliffe Clo. *Chst* 5D **10**
Coniston Av. *Well* 1K **5**
Coniston Rd. *Brom* 3F **9**
Coniston Rd. *Croy* 4F **15**
Constance Cres. *Brom* 4G **17**
Constance Rd. *Croy* 4A **14**
Contessa Clo. *Orp* 2H **25**
Convent Clo. *Beck* 4D **8**
Convent Hill. *SE19* 3B **6**
Cooden Clo. *Brom* 4J **9**
Cookham Dene Clo. *Chst* 5G **11**
Cookham Hill. *Orp* 7F **21**
Cookham Rd. *Swan* 5F **13**
Coombe Ct. Croy 7C 14 (off St Peter's Rd.)
Coombe Lea. *Brom* 7B **10**
Coombe Rd. *SE26* 1G **7**
Coombe Rd. *Croy* 7C **14**
Cooper's La. *SE12* 6A **4**
Cooper's Yd. *SE19* 3D **6**
Copeman Clo. *SE26* 2H **7**
Copers Cope Rd. *Beck* 4A **8**
Copgate Path. *SW16* 3A **6**
Copley Dene. *Brom* 5A **10**
Copper Beech Clo. *Orp* 2B **20**
Copper Clo. *SE19* 4E **6**
Copperfields. *Beck* 5D **8**
Copperfield Way. *Chst* 3F **11**
Coppergate Clo. *Brom* 5J **9** (1D **34**)
Coppice Clo. *Beck* 1C **16**
Coppins, The. *New Ad* 3C **22**
Copse Av. *W Wick* 7C **16**
Copsewood Clo. *Sidc* 3K **5**
Copthorne Av. *Brom* 6C **18**
Corbett Clo. *Croy* 7E **22**
Corbett Ct. *SE26* 1A **8**
Corbylands Rd. *Sidc* 4K **5**
Corkscrew Hill. *W Wick* 6D **16**
Cork Tree Ho. SE27 2A 6 (off Lakeview Rd.)
Cornell Clo. *Sidc* 3D **12**
Cornerstone Ho. *Croy* 4B **14**
Cornflower La. *Croy* 5J **15**
Cornford Clo. *Brom* 2H **17**
Cornish Gro. *SE20* 5G **7**
Corn Mill Dri. *Orp* 4K **19**
Cornwall Av. *Well* 1K **5**
Cornwall Dri. *Orp* 4B **12**
Cornwall Gdns. *SE25* 1E **14**
Cornwallis Av. *SE9* 6J **5**
Cornwall Rd. *Croy* 6A **14**
Corona Rd. *SE12* 4A **4**
Cotelands. *Croy* 7D **14**
Cotford Rd. *T Hth* 1B **14**
Cotmandene Cres. *Orp* 6K **11**
Cotswold Ri. *Orp* 3J **19**
Cotswold St. *SE27* 1A **6**
Cottage Av. *Brom* 5B **18**
Cottingham Rd. *SE20* 4J **7**
Cottongrass Clo. *Croy* 5J **15**
Cotton Hill. *Brom* 1D **8**
County Ga. *SE9* 7H **5**
County Rd. *T Hth* 6A **6**
Course, The. *SE9* 7F **5**
Court Cres. *Swan* 1K **21**
Court Downs Rd. *Beck* 6C **8**
Courtenay Dri. *Beck* 6E **8**
Courtenay Rd. *SE20* 3J **7**
Court Farm Rd. *SE9* 6C **4**
Courtfield Ri. *W Wick* 7E **16**
Courtlands Av. *SE12* 2A **4**
Courtlands Av. *Brom* 5F **17**
Courtney Clo. *SE19* 3D **6**
Courtney Pl. *Croy* 7A **14**
Courtney Rd. *Croy* 7A **14**
Court Rd. *SE9* 3E **4**
Court Rd. *SE25* 6E **6**
Court Rd. *Orp* 4A **20**
Court St. *Brom* 6H **9** (3C **34**)
Court Wood La. *Croy* 7A **22**
Court Yd. *SE9* 3D **4**
Coventry Rd. *SE25* 1F **15**
Coverack Clo. *Croy* 4K **15**
Coverdale Gdns. *Croy* 7E **14**
Covert, The. SE19 4E 6 (off Fox Hill)
Covert, The. *Orp* 3H **19**
Covet Wood Clo. *Orp* 3J **19**
Covington Gdns. *SW16* 4A **6**
Covington Way. *SW16* 4A **6** (in two parts)
Cowden Rd. *Orp* 4J **19**
Cowden St. *SE6* 1B **8**
Cowper Clo. *Brom* 1A **18**
Cowper Rd. *Brom* 1A **18**
Coxwell Rd. *SE19* 4D **6**
Crabbs Cft. Clo. *Orp* 2F **25**
Crab Hill. *Beck* 4E **8**
Crabtree Wlk. *Croy* 5F **15**
Cradley Rd. *SE9* 5J **5**
Craigen Av. *Croy* 5G **15**
Craigton Rd. *SE9* 1E **4**
Crampton Rd. *SE20* 3H **7**
Cranbrook Clo. *Brom* 3H **17**
Cranbrook Rd. *T Hth* 6B **6**
Cranfield Clo. *SE27* 1B **6**
Cranleigh Clo. *SE20* 6G **7**
Cranleigh Clo. *Orp* 7K **19**
Cranleigh Dri. *Swan* 1K **21**
Cranleigh Gdns. *SE25* 7D **6**
Cranley Pde. SE9 1B 10 (off Beaconsfield Rd.)
Cranmer Rd. *Croy* 7A **14**
Cranmore Rd. *Brom* 1G **9**
Cranmore Rd. *Chst* 2C **10**
Crathie Rd. *SE12* 3A **4**
Craven Rd. *Croy* 5G **15**
Craven Rd. *Orp* 7C **20**
Crawfords. *Swan* 4K **13**
Cray Av. *Orp & St M* 3A **20**
Craybrooke Rd. *Sidc* 1A **12**
Craybury End. *SE9* 6H **5**
Crayfield Ind. Pk. *Orp* 6B **12**
Crayfields Bus. Pk. Orp 5B 12 (off Rushet Rd.)
Craylands. *Orp* 7B **12**
Cray Rd. *Sidc* 3B **12**
Cray Rd. *Swan* 3G **21**
Crays Pde., The. *Orp* 6B **12**
Cray Valley Rd. *Orp* 2K **19**
Credenhall Dri. *Brom* 5C **18**
Crescent Dri. *Orp* 2E **18**
Crescent Gdns. *Swan* 6H **13**
Crescent Rd. *Beck* 6C **8**
Crescent Rd. *Brom* 4H **9** (1C **34**)
Crescent Rd. *Sidc* 7K **5**
Crescent, The. *Beck* 5B **8**
Crescent, The. *Croy* 3C **14**
Crescent, The. *Sidc* 1J **11**
Crescent, The. *W Wick* 3F **17**
Crescent Way. *Orp* 2H **25**
Crescent Wood Rd. *SE26* 1F **7**
Cress M. *Brom* 2E **8**
Cresswell Rd. *SE25* 1F **15**
Crest Clo. *Badg M* 7G **27**
Crest Rd. *Brom* 4G **17**
Crest Vw. Dri. *Orp* 2E **18**
Crichton Ho. *Sidc* 3C **12**
Cricketers Wlk. *SE26* 2H **7**
Cricket Ground Rd. *Chst* 5E **10** (in two parts)
Cricket La. *Beck* 3K **7**
Crittall's Corner (Junct.) 4A 12
Crockenhill 3J 21
Crockenhill Rd. *Orp & Swan* 2C **20**
Crockham Way. *SE9* 1D **10**
Crocus Clo. *Croy* 5J **15**
Croft Av. *W Wick* 5D **16**
Croft Clo. *Chst* 2C **10**
Crofters Mead. *Croy* 5A **22**
Crofton 6G 19
Crofton Av. *Orp* 6F **19**
Crofton La. *Orp* 6G **19**
Crofton Rd. *Orp* 7D **18**
Croft Rd. *SW16* 5A **6**
Croft Rd. *Brom* 3H **9**
Croftside, The. *SE25* 7F **7**
Croft, The. *Swan* 7H **13**
Croft Way. *Sidc* 7K **5**
Crombie Rd. *Sidc* 5J **5**
Cromer Pl. *Orp* 5H **19**
Cromer Rd. *SE25* 7G **7**
Cromford Clo. *Orp* 7H **19**
Cromlix Clo. *Chst* 6E **10**
Cromwell Av. *Brom* 1J **17** (6D **34**)
Cromwell Clo. *Brom* 1J **17** (7D **34**)
Cromwell Ho. *Croy* 7A **14**
Cromwell Rd. *Beck* 6K **7**
Cromwell Rd. *Croy* 4C **14**
Crossland Rd. *T Hth* 3A **14**
Crossley Clo. *Big H* 4F **29**
Crossmead. *SE9* 5E **4**
Cross Rd. *Brom* 6B **18**
Cross Rd. *Croy* 5C **14**
Cross Rd. *Orp* 2A **20**
Cross Rd. *Sidc* 1A **12**
Crossway. *Orp* 1G **19**
Crossways. *S Croy* 4A **22**
Crossways. *Tats* 2B **32**
Crossways Rd. *Beck* 1B **16**
Crossway, The. *SE9* 6C **4**
Crouch Clo. *Beck* 3B **8**
Crouch Cft. *SE9* 7F **5**
Crouchman's Clo. *SE26* 1E **6**
Crowhill. *Orp* 6D **24**
Crowhurst Way. *Orp* 2B **20**
Crowland Rd. *T Hth* 1C **14**
Crown Ash Hill. *Big H* 3D **28**
Crown Ash La. *Warl & Big H* 5C **28**
Crown Clo. *Orp* 2K **25**
Crown Ct. *SE12* 3A **4**
Crown Dale. *SE19* 3A **6**
Crown Hill. *Croy* 6B **14**
Crown La. *SW16* 2A **6**
Crown La. *Brom* 2A **18**
Crown La. *Chst* 5F **11**
Crown La. Gdns. *SW16* 2A **6**
Crown La. Spur. *Brom* 3A **18**
Crown Pde. *SE19* 3A **6**
Crown Rd. *Orp* 2K **25**
Crown, The. *W'ham* 7J **33**
Crown Woods Way. *SE9* 2J **5**
Crowther Rd. *SE25* 2F **15**
Croxley Clo. *Orp* 6A **12**
Croxley Grn. *Orp* 5A **12**
Croyde Clo. *Sidc* 4J **5**
Croydon 6B 14
Croydon Clock Tower 7B 14 (off Katherine St.)
Croydon Flyover, The. *Croy* 7A **14**
Croydon Gro. *Croy* 5A **14**
Croydon Rd. *SE20* 6G **7**
Croydon Rd. *Beck* 1J **15**
Croydon Rd. *Brom & Kes* 7K **17**
Croydon Rd. *W'ham* 5E **32**
Croydon Rd. *W Wick & Brom* 7F **17**
Croydon Rd. Ind. Est. *Beck* 1J **15**
Crusader Gdns. *Croy* 7D **14**
Crystal Palace 3E 6
Crystal Palace F.C. 1D 14 (Selhurst Pk.)
Crystal Palace Mus. 3E 6
Crystal Palace National Sports Cen. 3F 7
Crystal Pal. Pde. *SE19* 3E **6**
Crystal Pal. Pk. Rd. *SE26* 2F **7**
Crystal Pal. Sta. Rd. *SE19* 3F **7**
Crystal Ter. *SE19* 3C **6**
Crystal Vw. Ct. *Brom* 1E **8**
Cudham 4B 30
Cudham Dri. *New Ad* 6D **22**
Cudham La. N. *Cud & G Str* 3A **30**
Cudham La. S. *Cud & Knock* 4A **30**
Cudham Pk. Rd. *Cud* 6H **25**
Cudham Rd. *Orp* 7D **24**
Cudham Rd. *Tats* 1D **32**
Cuff Cres. *SE9* 3C **4**
Culverstone Clo. *Brom* 3G **17**
Cumberland Av. *Well* 1K **5**
Cumberland Ct. *Croy* 5C **14**
Cumberland Rd. *SE25* 3G **15**
Cumberland Rd. *Brom* 1F **17** (7A **34**)
Cumberlow Av. *SE25* 7E **6**
Cunningham Clo. *W Wick* 6C **16**
Cupola Clo. *Brom* 2J **9**
Curnick's La. *SE27* 1B **6**
Curtismill Clo. *Orp* 7A **12**
Curtismill Way. *Orp* 7A **12**
Curzon Clo. *Orp* 1G **25**
Cuthbert Gdns. *SE25* 7D **6**
Cuthbert Rd. *Croy* 6A **14**
Cuxton. *Orp* 2F **19**
Cyclamen Rd. *Swan* 1J **21**
Cypress Rd. *SE25* 6D **6**
Cyril Lodge. *Sidc* 1K **11**
Cyril Rd. *Orp* 4K **19**

D

Dacres Rd. *SE23* 1J **7**
Daerwood Clo. *Brom* 5C **18**
Daffodil Clo. *Croy* 5J **15**
Dagmar Rd. *SE25* 2D **14**
Dagnall Pk. *SE25* 3D **14**
Dagnall Rd. *SE25* 2D **14**
Dagonet Gdns. *Brom* 1H **9**
Dagonet Rd. *Brom* 1H **9**
Dainford Clo. *Brom* 2E **8**
Dainton Clo. *Brom* 5J **9** (1E **34**)
Dairsie Ct. *Brom* 5K **9**
Dairsie Rd. *SE9* 1F **5**
Dairy Clo. *Brom* 4J **9**
Dairy Clo. *T Hth* 6B **6**
Daisy Clo. *Croy* 5J **15**
Dale Pk. Rd. *SE19* 5B **6**
Dale Rd. *Swan* 6H **13**
Daleside. *Orp* 2K **25**

Elmdene Clo.—Franklin Clo.

Elmdene Clo. Beck. 3A 16
Elm Dri. Swan 6J 13
Elmers End. 1K 15
Elmers End Rd. SE20 & Beck. 6H 7
Elmerside Rd. Beck 1K 15
Elmers Rd. SE25 4F 15
Elmfield Pk. Brom. 7H 9 (5C 34)
Elmfield Rd. Brom 6H 9 (5C 34)
Elm Gro. Orp 5J 19
Elmgrove Rd. Croy 4G 15
Elmhurst Rd. SE9 6D 4
Elmlee Clo. Chst 3C 10
Elm Pde. Sidc 1K 11
Elm Pk. Rd. SE25 7E 6
Elm Rd. Beck 6A 8
Elm Rd. Orp 4K 25
Elm Rd. Sidc 1K 11
Elm Rd. T Hth 1C 14
Elm Rd. W'ham 7K 33
Elmscott Rd. Brom 2F 9
Elmside. New Ad 3C 22
Elmstead 3C 10
Elmstead Av. Chst 2C 10
Elmstead Glade. Chst 3C 10
Elmstead La. Chst 4B 10
Elms, The. Croy 5B 14 (off Tavistock Rd.)
Elmstone Ter. Orp 1B 20
Elm Ter. SE9 3F 5
Elm Wlk. Orp 7C 18
Elmwood Rd. Croy 4A 14
Elsa Ct. Beck 5A 8
Elstan Way. Croy 4K 15
Elstow Clo. SE9 2E 4 (in two parts)
Elstree Hill. Brom 4F 9
Eltham 3E 4
Eltham Crematorium. SE9 1J 5
Eltham Grn. SE9 2C 4
Eltham Grn. Rd. SE9 1B 4
Eltham High St. SE9 3E 4
Eltham Hill. SE9 2C 4
Eltham Palace 4D 4
Eltham Pal. Rd. SE9 3B 4
Eltham Park 1F 5
Eltham Pk. Gdns. SE9 1F 5
Eltham Rd. SE12 & SE9 2A 4
Elvington Grn. Brom 2G 17
Elvino Rd. SE26 2K 7
Elwill Way. Beck 1D 16
Elwyn Gdns. SE12 4A 4
Ely Rd. Croy 2C 14
Elysian Av. Orp 3J 19
Embassy Ct. Sidc 1A 12
Embassy Gdns. Beck 5A 8
Ember Clo. Orp 4F 19
Empire Sq. SE20 4J 7 (off High St.)
Empress Dri. Chst 3E 10
Engadine Clo. Croy 7E 14
Englefield Clo. Croy 3B 14
Englefield Clo. Orp 2J 19
Englefield Cres. Orp 1J 19
Englefield Path. Orp 1K 19
Enmore Av. SE25 2F 15
Enmore Rd. SE25 2F 15
Enslin Rd. SE9 4F 5
Enterprise Cen., The. Beck 2K 7 (off Cricket La.)
Epsom Rd. Croy 7A 14
Eresby Dri. Beck 5B 16
Erica Ct. Swan 1K 21
Erica Gdns. Croy 7C 16
Eridge Grn. Clo. Orp 5B 20
Erin Clo. Brom 4F 9
Ermington Rd. SE9 6H 5
Ernest Av. SE27 1A 6
Ernest Clo. Beck 2B 16
Ernest Gro. Beck 2A 16
Esam Way. SW16 2A 6
Escott Gdns. SE9 1B 10
Eskmont Ridge. SE19 4C 6
Essex Gro. SE19 3C 6
Estcourt Rd. SE25 3G 15
Etfield Gro. Sidc 2A 12
Ethelbert Clo. Brom 6H 9 (5B 34)
Ethelbert Ct. Brom 5B 34
Ethelbert Rd. Brom 7H 9 (5B 34)
Ethelbert Rd. Orp 7C 12
Ethel Ter. Orp 5B 26
Eton Rd. Orp 1A 26
Eugenie M. Chst 5E 10
Euston Rd. Croy 5A 14
Evelina Rd. SE20 4H 7
Evelyn Av. T'sey 6B 32
Evening Hill. Beck 4D 8
Everard Av. Brom 5H 17
Everest Pl. Swan 1J 21
Everest Rd. SE9 2E 4
Everglade. Big H 7F 29
Evergreen Clo. SE20 4H 7
Eversley Rd. SE19 4C 6
Eversley Way. Croy 1B 22
Everton Rd. Croy 5F 15
Evry Rd. Sidc 3B 12
Exeter Rd. Croy 4D 14
Exford Gdns. SE12 5A 4
Exford Rd. SE12 6A 4
Eyebright Clo. Croy 5J 15
Eylewood Rd. SE27 2B 6
Eynsford Clo. Orp 4F 19
Eynsford Rd. Swan 3J 21
Eynswood Dri. Sidc 2A 12

F

Factory La. Croy 6A 14
Faesten Way. Bex 1K 13
Fair Acres. Brom 2H 17
Fair Acres. Croy 5A 22
Fairbank Av. Orp 6E 18
Fairby Rd. SE12 2A 4
Fairchildes Av. New Ad 7E 22 & 1A 28
Fairchildes Rd. Warl 3A 28
Fairfield Clo. Sidc 3K 5
Fairfield Halls & Ashcroft Theatre 7C 14
Fairfield Path. Croy 7C 14
Fairfield Rd. Beck 6B 8
Fairfield Rd. Brom 4H 9
Fairfield Rd. Croy 7C 14
Fairfield Rd. Orp 3G 19
Fairford Av. Croy 2J 15
Fairford Clo. Croy 2K 15
Fairgreen Rd. T Hth 2A 14
Fairhaven Av. Croy 3J 15
Fairholme Rd. Croy 4A 14
Fairland Ho. Brom 1J 17 (7E 34)
Fairlands Ct. SE9 3F 5
Fairlawn Pk. SE26 2K 7
Fairline Ct. Beck 6D 8
Fairmead. Brom 1C 18
Fairmead Clo. Brom 1C 18
Fairoak Clo. Orp 4E 18
Fairoak Dri. SE9 2J 5
Fairtrough Rd. Orp 1F 31
Fairview Clo. SE26 2K 7
Fairview Dri. Orp 1G 25
Fairway. Orp 2G 19
Fairway Clo. Croy 2K 15
Fairway Gdns. Beck 3E 16
Fairway, The. Brom 2C 18
Fairwyn Rd. SE26 1K 7
Falcon Av. Brom 1B 18
Falcons Clo. Big H 6F 29
Falconwood 1K 5
Falconwood (Junct.) 1H 5
Falconwood Pde. Well 1K 5
Falconwood Rd. Croy 5A 22
Falkland Ho. SE6 1D 8
Falkland Pk. Av. SE25 7D 6
Fambridge Clo. SE26 1A 8
Fantail, The (Junct.) 1C 24
Faraday Way. Orp 1A 20
Faringdon Av. Brom 4D 18
Farleigh Av. Brom 4G 17
Farleigh Dean Cres. Croy 7C 22
Farley Pl. SE25 1F 15
Farm Av. Swan 7H 13
Farm Clo. W Wick 7G 17
Farmcote Rd. SE12 5A 4
Farm Dri. Croy 6A 16
Farmfield Rd. Brom 2F 9
Farmland Wlk. Chst 2E 10
Farm La. Croy 6A 16
Farmstead Rd. SE6 1C 8
Farnaby Rd. SE9 1B 4
Farnaby Rd. Brom 4E 8
Farnborough 2F 25
Farnborough Comn. Orp 7C 18
Farnborough Cres. Brom 5G 17
Farnborough Hill. Orp 2G 25
FARNBOROUGH HOSPITAL 1D 24
Farnborough Way. Orp 2F 25
Farnley Rd. SE25 1C 14
Faro Clo. Brom 6D 10
Farquhar Rd. SE19 2E 6
Farquharson Rd. Croy 5B 14
Farrant Clo. Orp 4K 25
Farrer's Pl. Croy 7J 15
Farrier Clo. Brom 7A 10
Farrington Av. Orp 7A 12
Farrington Pl. Chst 4G 11
Farthing Barn La. Orp 5D 24
Farthing Street 5C 24
Farthing St. Orp 4C 24
Farwell Rd. Sidc 1A 12
Farwig La. Brom 5G 9 (1A 34)
Fashoda Rd. Brom 1A 18
Faversham Rd. Beck 6A 8
Fawcett Rd. Croy 7B 14
Featherbed La. Croy & Warl 4A 22 & 3A 28
Felhampton Rd. SE9 6G 5
Felix Mnr. Chst 3H 11
Fellmongers Yd. Croy 7B 14 (off Surrey St.)
Fell Rd. Croy 7B 14 (in two parts)
Felmingham Rd. SE20 6H 7
Felstead Rd. Orp 6K 19
Felton Clo. Orp 3E 18
Felton Ho. SE3 1A 4
Felton Lea. Sidc 2J 11
Fen Gro. Sidc 2K 5
Fenn Clo. Brom 3H 9
Fennel Clo. Croy 5J 15
Fenton Clo. Chst 2C 10
Ferby Ct. SE9 7J 5 (off Main Rd.)
Ferguson Clo. Brom 7E 8
Fernbrook Av. Sidc 2K 5
Ferndale. Brom 6K 9
Ferndale Rd. SE25 2G 15
Ferndale Way. Orp 2G 25
Ferndell Av. Bex 1J 13
Ferndown Av. Orp 5G 19
Ferndown Rd. SE9 4C 4
Fernham Rd. T Hth 7B 6
Fernheath Way. Dart 2J 13
Fern Hill Pl. Orp 2F 25
Fernhurst Rd. Croy 4G 15
Fernwood. Croy 5A 22
Fernwood Clo. Brom 6K 9
Ferris Av. Croy 7A 16
Fickleshole 3A 28
Field Clo. Brom 6K 9
Fieldside Clo. Orp 1F 25
Fieldside Rd. Brom 2E 8
Fieldway. New Ad 4C 22
Fieldway. Orp 3G 19
Filey Clo. Big H 1A 32
Finch Av. SE27 1C 6
Finglesham Clo. Orp 5C 20
Finucane Dri. Orp 4B 20
Fir Dene. Orp 7C 18
Fire Sta. M. Beck 5B 8
Firhill Rd. SE6 1B 8
Firmingers Rd. Orp 2G 27
Firsby Av. Croy 5J 15
Firside Gro. Sidc 5K 5
Firs, The. SE26 2H 7 (Homecroft Rd.)
Firs, The. SE26 2G 7 (Lawrie Pk. Gdns.)
Fir Tree Clo. Orp 2J 25
Firtree Gdns. Croy 1B 22
Fisher Clo. Croy 5E 14
Fishponds Rd. Kes 2A 24
Fitzjames Av. Croy 6F 15
Fitzroy Ct. Croy 4C 14
Fitzroy Gdns. SE19 4D 6
Fiveacre Clo. T Hth 3A 14
Five Elms Rd. Brom 6J 17
Fiveways (Junct.) 6G 5
Fiveways. SE9 6G 5
Flag Clo. Croy 5J 15
Flamborough Clo. Big H 1A 32
Flatford Ho. SE6 1D 8
Fleetwood Clo. Croy 7E 14
Fletchers Clo. Brom 1J 17 (7E 34)
Flimwell Clo. Brom 2F 9
Flint Clo. G Str 3J 25
Flint Down Clo. Orp 5K 11
Flora Gdns. Croy 7D 22
Florence Rd. Beck 6K 7
Florence Rd. Brom 5H 9 (2B 34)
Florida Ct. Brom 7A 34
Florida Rd. T Hth 5A 6
Flyers Way, The. W'ham 7J 33
Foley Rd. Big H 7F 29
Fonthill Clo. SE20 6F 7
Fontwell Dri. Brom 2D 18
Footbury Hill Rd. Orp 3K 19
Foots Cray 3B 12
Foots Cray High St. Sidc 3B 12
Footscray Rd. SE9 3F 5
Force Green 6J 33
Force Grn. La. W'ham 6J 33
Ford Clo. T Hth 2A 14
Fordcroft Rd. Orp 2A 20
Forde Av. Brom 7K 9
Fordington Ho. SE26 1F 7
Fordwich Clo. Orp 4J 19
Forest Clo. Chst 5D 10
Forestdale 5A 22
Forestdale Cen., The. Croy 4A 22
Forest Dri. Kes 1B 24
Forest Ridge. Beck 7B 8
Forest Ridge. Kes 1B 24
Forest Way. Orp 2J 19
Forest Way. Sidc 4J 5
Forge Clo. Brom 5H 17
Forge Fld. Big H 5F 29
Forge M. Croy 2B 22
Forrester Path. SE26 1H 7
Forstal Clo. Brom 7H 9 (5B 34)
Forster Ho. Brom 1E 8
Forster Rd. Beck 7K 7
Forsyte Cres. SE19 5D 6
Forsythe Shades Ct. Beck 5D 8
Forty Foot Way. SE9 4H 5
Fosters Clo. Chst 2C 10
Foulsham Rd. T Hth 7B 6
Founders Gdns. SE19 4B 6
Fountain Dri. SE19 1E 6
Fountain Rd. T Hth 7B 6
Fowlers Clo. Sidc 2D 12
Foxbury Av. Chst 3G 11
Foxbury Clo. Brom 3J 9
Foxbury Clo. Orp 2K 25
Foxbury Dri. Orp 3K 25
Foxbury Rd. Brom 3H 9
Fox Clo. Orp 2K 25
Foxcombe. New Ad 3C 22 (in two parts)
Foxearth Clo. Big H 7G 29
Foxes Dale. Brom 7E 8
Foxfield Rd. Orp 6G 19
Foxgrove Av. Beck 4C 8
Foxgrove Rd. Beck 4C 8
Fox Hill. SE19 4E 6
Fox Hill. Kes 2K 23
Fox Hill Gdns. SE19 4E 6
Foxhole Rd. SE9 2D 4
Foxhome Clo. Chst 3D 10
Fox La. Kes 2J 23
Foxleas Ct. Brom 4F 9
Foxley Rd. T Hth 1A 14
Foxwood Gro. Prat B 6B 26
Framlingham Cres. SE9 1B 10
Francis Rd. Croy 4A 14
Francis Rd. Orp 7C 12
Franklin Clo. SE27 1A 6

Franklin Pas.—Groveland Rd.

Franklin Pas. *SE9* 1D **4**
Franklin Rd. *SE20* 4H **7**
Franks Wood Av. *Orp* 2E **18**
Fransfield Gro. *SE26* 1G **7**
Frant Clo. *SE20* 4H **7**
Frant Rd. *T Hth* 2A **14**
Frederick Gdns. *Croy* 3A **14**
Freeland Ct. *Sidc* 1K **11**
Freelands Gro. *Brom* 5J **9** (1E **34**)
Freelands Rd. *Brom* 5J **9** (2E **34**)
Freemasons Rd. *Croy* 5D **14**
Freesia Clo. *Orp* 2J **25**
Freethorpe Clo. *SE19* 4C **6**
Frensham Dri. *New Ad* 4D **22**
Frensham Rd. *SE9* 6J **5**
Fresham Ho. *Brom* 6A **34**
Freshfields. *Croy* 5A **16**
Freshwood Clo. *Beck* 5C **8**
Frewing Clo. *Chst* 3C **10**
Friar M. *SE27* 1A **6**
Friar Rd. *Orp* 2K **19**
Friars M. *SE9* 2F **5**
Friarswood. *Croy* 5A **22**
Friends Rd. *Croy* 7C **14**
Frimley Clo. *New Ad* 4D **22**
Frimley Ct. *Sidc* 2B **12**
Frimley Cres. *New Ad* 4D **22**
Frinsted Gro. *Orp* 1C **20**
Frith Rd. *Croy* 6B **14**
Frognal Av. *Sidc* 3K **11**
Frognal Corner (Junct.) **3J 11**
Frognal Pl. *Sidc* 3K **11**
Froissart Rd. *SE9* 2C **4**
Frylands Ct. *New Ad* 7D **22**
Fryston Av. *Croy* 6F **15**
Fuller Clo. *Orp* 2J **25**
Fuller's Wood. *Croy* 2B **22**
Fullerton Rd. *Croy* 4E **14**
Furneaux Av. *SE27* 2A **6**
Furzefield Clo. *Chst* 3E **10**
Furzehill Sq. *St M* 1A **20**
Furze Rd. *T Hth* 7B **6**
Fyfe Way. *Brom* 6H **9** (3C **34**)
Fyfield Clo. *Brom* 1E **16**

G

Gable Ct. *SE26* 1G **7**
Gables, The. *Brom* 4J **9**
Gainsborough Clo. *Beck* 4B **8**
Gainsborough M. *SE26* 1G **7**
Gaitskell Rd. *SE9* 5H **5**
Galahad Rd. *Brom* 1H **9**
Gallus Sq. *SE3* 1A **4**
Garden Clo. *SE12* 7A **4**
Garden Cotts. *Orp* 6B **12**
Garden Ct. *Croy* 6E **14**
Gardeners Rd. *Croy* 5A **14**
Garden La. *Brom* 3J **9**
Garden Rd. *SE20* 5H **7**
Garden Rd. *Brom* 4J **9**
Gardens, The. *Beck* 5D **8**
Garden Wlk. *Beck* 5A **8**
Gardiner Clo. *Orp* 6B **12**
Gardner Ind. Est. *SE26* 2A **8**
Gareth Gro. *Brom* 1H **9**
Garlands Ct. Croy *7C* ***14***
(off Chatsworth Rd.)
Garnet Rd. *T Hth* 1B **14**
Garnett Clo. *SE9* 1E **4**
Garrard Clo. *Chst* 2E **10**
Garrick Cres. *Croy* 6D **14**
Garrolds Clo. *Swan* 6J **13**
Gascoigne Rd. *New Ad* 6D **22**
Gatcombe Ct. *Beck* 4B **8**
Gateacre Ct. *Sidc* 1A **12**
Gates Grn. Rd. *W Wick & Kes* 7G **17**
Gatestone Rd. *SE19* 3D **6**
Gattons Way. *Sidc* 1E **12**
Gavestone Cres. *SE12* 4A **4**
Gavestone Rd. *SE12* 4A **4**
Geffery's Ct. *SE9* 7D **4**
Geneva Rd. *T Hth* 2B **14**
Genoa Rd. *SE20* 5H **7**
George Gro. Rd. *SE20* 5F **7**
George La. *Brom* 5J **17**
Georges Clo. *Orp* 7B **12**
George's Rd. *Tats* 2C **32**
George St. *Croy* 6B **14**
Georgetown Clo. *SE19* 2D **6**
Georgian Clo. *Brom* 5J **17**
Georgian Ct. Croy *5C* ***14***
(off Cross Rd.)
Georgia Rd. *T Hth* 5A **6**
Geraint Rd. *Brom* 1H **9**
Gerda Rd. *SE9* 6H **5**
Gibbs Av. *SE19* 2C **6**
Gibbs Clo. *SE19* 3C **6**
Gibbs Ho. *Brom* 1A **34**
Gibbs Sq. *SE19* 2C **6**
Gibney Ter. *Brom* 1G **9**
Gibsons Hill. *SW16* 4A **6**
Giggs Hill. *Orp* 6K **11**
Gilbert Rd. *Brom* 4H **9**
Giles Coppice. *SE19* 1E **6**
Gillan Ct. *SE12* 7A **4**
Gillett Rd. *T Hth* 1C **14**
Gillmans Rd. *Orp* 5A **20**
Gilroy Way. *Orp* 4A **20**
Gilsland Rd. *T Hth* 1C **14**
Gipsy Hill. *SE19* 1D **6**
Gipsy Rd. *SE27* 1B **6**
Gipsy Rd. Gdns. *SE27* 1B **6**
Girton Gdns. *Croy* 7B **16**
Girton Rd. *SE26* 2J **7**
Gittens Clo. *Brom* 1G **9**
Glade Gdns. *Croy* 4K **15**
Gladeside. *Croy* 3J **15**
Glades Pl. *Brom* 6H **9** (3C **34**)
Glades Shop. Cen., The. *Brom* 6H **9** (4C **34**)
Glade, The. *Brom* 6A **10**
Glade, The. *Croy* 3K **15**
Glade, The. *W Wick* 7C **16**
Gladstone M. *SE20* 4H **7**
Gladstone Rd. *Croy* 4C **14**
Gladstone Rd. *Orp* 2F **25**
Gladstone Ter. SE27 *2B* ***6***
(off Bentons La.)
Gladwell Rd. *Brom* 3H **9**
Glanfield Rd. *Beck* 1A **16**
Glanville Rd. *Brom* 7J **9** (6E **34**)
Glasbrook Rd. *SE9* 4C **4**
Glassmill La. *Brom* 6G **9** (4A **34**)
(in two parts)
Glastonbury Clo. *Orp* 5B **20**
Glebe Ho. Dri. *Brom* 5J **17**
Glebe Hyrst. *SE19* 1D **6**
Glebe Rd. *Brom* 5H **9** (1B **34**)
Glebe, The. *Chst* 5F **11**
Glebe Way. *W Wick* 6D **16**
Gleeson Dri. *Orp* 2J **25**
Glenavon Lodge. *Beck* 4B **8**
Glenbarr Clo. *SE9* 1G **5**
Glenbow Rd. *Brom* 3F **9**
Glen Ct. *Sidc* 1K **11**
Glendale. *Swan* 2K **21**
Glendale Clo. *SE9* 1F **5**
Glendale M. *Beck* 5C **8**
Glendower Cres. *Orp* 3K **19**
Gleneagles Clo. *Orp* 5G **19**
Gleneagles Grn. *Orp* 5G **19**
Glen Gdns. *Croy* 7A **14**
Glenhead Clo. *SE9* 1G **5**
Glenhouse Rd. *SE9* 2F **5**
Glenhurst. *Beck* 5D **8**
Glenhurst Ri. *SE19* 4B **6**
Glenlea Rd. *SE9* 2E **4**
Glenlyon Rd. *SE9* 2F **5**
Glenmore Lodge. *Beck* 5C **8**
Glennie Rd. *SE27* 1A **6**
Glenrose Ct. *Sidc* 2A **12**
Glenshiel Rd. *SE9* 2F **5**
Glen, The. *Brom* 6F **9**
Glen, The. *Croy* 7J **15**
Glen, The. *Orp* 7C **18**
Glenthorne Av. *Croy* 5G **15**
Glentrammon Av. *Orp* 3J **25**
Glentrammon Clo. *Orp* 2J **25**
Glentrammon Gdns. *Orp* 3J **25**
Glentrammon Rd. *Orp* 3J **25**
Glenure Rd. *SE9* 2F **5**
Glenview Rd. *Brom* 6A **10**
Glenwood Ct. *Sidc* 1K **11**
Glenwood Way. *Croy* 3J **15**
Gload Cres. *Orp* 6C **20**
Gloucester Av. *Sidc* 6K **5**
Gloucester Rd. *Croy* 5C **14**
Glyn Clo. *SE25* 6D **6**
Glyndebourne Pk. *Orp* 6E **18**
Glyn Dri. *Sidc* 1A **12**
Goat Ho. Bri. *SE25* 7F **7**
Goatsfield Rd. *Tats* 2B **32**
Goddard Rd. *Beck* 1J **15**
Goddington **6C 20**
Goddington Chase. *Orp* 1A **26**
Goddington La. *Orp* 7K **19**
Godric Cres. *New Ad* 6E **22**
Godwin Rd. *Brom* 7K **9**
Goldcrest Way. *New Ad* 5E **22**
Golden M. *SE20* 5H **7**
Goldfinch Clo. *Orp* 2K **25**
Goldmark Ho. *SE3* 1A **4**
Goldsel Rd. *Swan* 2J **21**
Golf Clo. *T Hth* 5A **6**
Golf Rd. *Brom* 7D **10**
Goodhart Way. *W Wick* 4F **17**
Goodhew Rd. *Croy* 3F **15**
Goodmead Rd. *Orp* 4K **19**
Goodwood Pde. *Beck* 1K **15**
Goose Grn. Clo. *Orp* 6K **11**
Gordon Cres. *Croy* 5D **14**
Gordon Rd. *Beck* 7A **8**
Gordon Rd. *Sidc* 2K **5**
Gordon Way. *Brom* 5H **9** (2B **34**)
Gorse Rd. *Croy* 1B **22**
Gorse Rd. *Orp* 6F **21**
Gosshill Rd. *Chst* 6D **10**
Gossington Clo. *Chst* 1E **10**
Goudhurst Rd. *Brom* 2F **9**
Goulding Gdns. *T Hth* 6B **6**
Gourock Rd. *SE9* 2F **5**
Gowland Pl. *Beck* 6A **8**
Grace Clo. *SE9* 7C **4**
Grace Ct. Croy *7A* ***14***
(off Waddon Rd.)
Grace M. SE20 *6H* ***7***
(off Marlow Rd.)
Grace Path. *SE26* 1H **7**
Grace Rd. *Croy* 3B **14**
Gradient, The. *SE26* 1F **7**
Grafton Rd. *Croy* 5A **14**
Graham Clo. *Croy* 6B **16**
Grampian Clo. *Orp* 3J **19**
Granby Rd. *SE9* 1E **4**
Grand Vw. Av. *Big H* 6E **28**
Grange Av. *SE25* 6D **6**
Grangecliffe Gdns. *SE25* 6D **6**
Grange Dri. *Chst* 3B **10**
Grange Dri. *Orp* 5B **26**
Grange Gdns. *SE25* 6D **6**
Grange Hill. *SE25* 6D **6**
Grangehill Rd. *SE9* 1E **4**
Grange Pk. Rd. *T Hth* 1C **14**
Grange Rd. *Orp* 6G **19**
Grange Rd. *T Hth & SE25* 1C **14**
Grange, The. *Croy* 6A **16**
Grangewood La. *Beck* 3A **8**
Grangewood Ter. *SE25* 6C **6**
Granton Rd. *Sidc* 3B **12**
Grant Pl. *Croy* 5E **14**
Grant Rd. *Croy* 5E **14**
Granville Clo. *Croy* 6D **14**
Granville M. *Sidc* 1K **11**
Granville Rd. *Sidc* 1K **11**
Grasmere Av. *Orp* 7E **18**
Grasmere Ct. *SE26* 2F **7**
Grasmere Gdns. *Orp* 7E **18**
Grasmere Rd. *SE25* 3G **15**
Grasmere Rd. *Brom* 5G **9**
Grasmere Rd. *Orp* 7E **18**
Grassington Rd. *Sidc* 1K **11**
Gravel Hill. *Croy* 3A **22**
Gravel Pit La. *SE9* 2G **5**
Gravel Pit Way. *Orp* 6K **19**
Gravel Rd. *Brom* 7B **18**
Gravelwood Clo. *Chst* 7H **5**
Graveney Gro. *SE20* 4H **7**
Grayland Clo. *Brom* 5A **10**
Grays Farm Production Village. *Orp* 5A **12**
Grays Farm Rd. *Orp* 5A **12**
Grays Rd. *W'ham* 3G **33**
Grazeley Ct. *SE19* 2D **6**
Great Brownings. *SE21* 1E **6**
Gt. Elms Rd. *Brom* 1K **17**
Gt. Gatton Clo. *Croy* 4K **15**
Gt. Harry Dri. *SE9* 7F **5**
Great Thrift. *Orp* 1F **19**
Greatwood. *Chst* 4D **10**
Grecian Cres. *SE19* 3A **6**
Greenacre Clo. *Swan* 1K **21**
Greenacres. *SE9* 3F **5**
Green Acres. *Croy* 7E **14**
Greenacres. *Sidc* 1K **11**
Greenacres Clo. *Orp* 1F **25**
Green Clo. *Brom* 7F **9**
Greencourt Av. *Croy* 6G **15**
Greencourt Gdns. *Croy* 5G **15**
Greencourt Rd. *Orp* 2G **19**
Green Ct. Rd. *Swan* 3J **21**
Green Farm Clo. *Orp* 3J **25**
Greenfield Dri. *Brom* 6K **9**
Greenfield Gdns. *Orp* 4G **19**
Greenfield Rd. *Dart* 2J **13**
Green Gdns. *Orp* 2F **25**
Green Hill. *Orp* 1H **29**
Greenhithe Clo. *Sidc* 4K **5**
Greenholm Rd. *SE9* 2G **5**
Greenhurst Rd. *SE27* 2A **6**
Green La. *SE9 & Chst* 5G **5**
Green La. *SE20* 4J **7**
Green La. *SW16 & T Hth* 5A **6**
Green La. Gdns. *T Hth* 6B **6**
Greenleigh Av. *St P* 1A **20**
Greenmead Clo. *SE25* 2F **15**
Greenoak Ri. *Big H* 7E **28**
Greenside. *Swan* 6J **13**
Greenside Rd. *Croy* 4A **14**
Greenside Wlk. *Big H* 7D **28**
Green Street Green **3J** 25
Green, The. *Brom* 7A **4**
(in two parts)
Green, The. *Croy* 5A **22**
Green, The. *Hayes* 4H **17**
Green, The. *Orp* (BR5) 4A **12**
Green, The. *Orp* (BR6) 1E **24**
Green, The. *Sidc* 1K **11**
Green, The. *Well* 1K **5**
Greenvale Rd. *SE9* 1E **4**
Greenview Av. *Beck* 3K **15**
Greenview Av. *Croy* 3K **15**
Green Way. *SE9* 2C **4**
Green Way. *Brom* 3B **18**
Greenway. *Chst* 2D **10**
Greenway. *Tats* 2B **32**
Greenway Gdns. *Croy* 7A **16**
Greenways. *Beck* 7B **8**
Greenway, The. *Orp* 3A **20**
Greenwood Bus. Cen. *Croy* 4E **14**
Greenwood Clo. *Orp* 3H **19**
Greenwood Rd. *Bex* 1J **13**
Greenwood Rd. *Croy* 4A **14**
Gregory Clo. *Brom* 1F **17**
Gregory Cres. *SE9* 4C **4**
Grenaby Av. *Croy* 4C **14**
Grenaby Rd. *Croy* 4C **14**
Grenville Rd. *New Ad* 5D **22**
Gresham Rd. *SE25* 1F **15**
Gresham Rd. *Beck* 6K **7**
Greycot Rd. *Beck* 2B **8**
Greyfriars. SE26 *1F* ***7***
(off Wells Pk. Rd.)
Greys Pk. Clo. *Kes* 2A **24**
Grice Av. *Big H* 2D **28**
Grimwade Av. *Croy* 7F **15**
Grindley Gdns. *Croy* 3E **14**
Groom Clo. *Brom* 1J **17** (7E **34**)
Grosvenor Rd. *SE25* 1E **14**
Grosvenor Rd. *Orp* 3H **19**
Grosvenor Rd. *W Wick* 5C **16**
Grove Clo. *Brom* 6H **17**
Grovehill Ct. *Brom* 3G **9**
Groveland Rd. *Beck* 7A **8**

Grovelands Rd. *Orp*	4K 11
Grove Mkt. Pl. *SE9*	3E 4
Grove Park	7A 4
Grove Pk. Rd. *SE9*	7B 4
Grove Rd. *Tats*	2B 32
Grove, The. *Big H*	7F 29
Grove, The. *Sidc*	1D 12
Grove, The. *Swan*	7K 13
Grove, The. *W Wick*	7C 16
Grove Va. *Chst*	3D 10
Guibal Rd. *SE12*	4A 4
Guildford Rd. *Croy*	3C 14
Guinness Ct. *Croy*	6E 14
Gulliver Rd. *Sidc*	6J 5
Gumping Rd. *Orp*	6F 19
Gundulph Rd. *Brom*	7K 9
Gunnell Clo. *SE26*	1F 7
Gunnell Clo. *Croy*	3E 14
Gwydor Rd. *Beck*	7J 7
Gwydyr Rd. *Brom*	7G 9 (5A 34)
Gwynne Av. *Croy*	4J 15

H

Hackington Cres. *Beck*	3B 8
Haddington Rd. *Brom*	1E 8
Haddon Rd. *Orp*	2B 20
Hadlow Pl. *SE19*	4F 7
Hadlow Rd. *Sidc*	1K 11
Haig Rd. *Big H*	6G 29
Haileybury Rd. *Orp*	1K 25
Haimo Rd. *SE9*	2C 4
Hainault St. *SE9*	5G 5
Hainthorpe Rd. *SE27*	1A 6
Hale Clo. *Orp*	1F 25
Hale Path. *SE27*	1A 6
Halfway St. *Sidc*	4J 5
Halifax St. *SE26*	1G 7
Hallam Clo. *Chst*	2C 10
Hallane Ho. *SE27*	2B 6
Hall Dri. *SE26*	2H 7
Hall Vw. *SE9*	6C 4
Halons Rd. *SE9*	4F 5
Halstead	2K 31
Halstead Clo. *Croy*	7B 14
Halstead La. *Knock*	4J 31
Hambledon Gdns. *SE25*	7E 6
Hambledown Rd. *Sidc*	4J 5
Hamblehyrst. *Beck*	6C 8
Hambro Av. *Brom*	5H 17
Hambrook Rd. *SE25*	7G 7
Hamilton Ct. *Croy*	5F 15
Hamilton Rd. *SE27*	1C 6
Hamilton Rd. *Sidc*	1K 11
Hamilton Rd. *T Hth*	7C 6
Hamilton Rd. Ind. Est. *SE27*	1C 6
(off Hamilton Rd.)	
Hamlet Rd. *SE19*	4E 6
Hamlyn Gdns. *SE19*	4D 6
Hammelton Ct. *Brom*	1A 34
Hammelton Rd. *Brom*	5G 9 (1A 34)
Hampden Av. *Beck*	6K 7
Hampden Rd. *Beck*	6K 7
Hampton Rd. *Croy*	3B 14
Ham Vw. *Croy*	3K 15
Hanbury Dri. *Big H*	2D 28
Hancock Rd. *SE19*	3C 6
Hangrove Hill. *Orp*	2K 29
Hanley Pl. *Beck*	4B 8
Hannah Clo. *Beck*	7D 8
Hannen Rd. *SE27*	1A 6
Hanover Dri. *Chst*	1F 11
Hanover St. *Croy*	7A 14
Hansom Ter. *Brom*	1E 34
Hanson Clo. *Beck*	3C 8
Harbledown Pl. *Orp*	1B 20
Harborough Av. *Sidc*	4K 5
Hardcastle Clo. *Croy*	3F 15
Hardcourts Clo. *W Wick*	7C 16
Harding Clo. *Croy*	7E 14
Hardings La. *SE20*	3F 7
Hares Bank. *New Ad*	6E 22
Harfst Way. *Swan*	5H 13
Harland Clo. *Croy*	7E 14

Harland Av. *Sidc*	7J 5
Harland Rd. *SE12*	5A 4
Harlands Gro. *Orp*	1E 24
Harleyford. *Brom*	5J 9
Harley Gdns. *Orp*	1H 25
Harmony Way. *Brom*	6H 9 (3B 34)
Harnetts Clo. *Swan*	4J 21
Harold Rd. *SE19*	4C 6
Harriet Gdns. *Croy*	6F 15
Harrington Ct. *Croy*	6C 14
Harrington Rd. *SE25*	1F 15
Harrison's Ri. *Croy*	7A 14
Harrogate Ct. *SE26*	1F 7
(off Droitwich Clo.)	
Harrow Gdns. *Orp*	1A 26
Harrow Rd. *Knock*	4J 31
Hart Dyke Cres. *Swan*	7J 13
Hart Dyke Rd. *Orp*	6C 20
Hart Dyke Rd. *Swan*	6J 13
Hartfield Cres. *W Wick*	7H 17
Hartfield Gro. *SE20*	5H 7
Hartfield Rd. *W Wick*	1H 23
Harting Rd. *SE9*	7D 4
Hartington Clo. *F'boro*	2F 25
Hartland Way. *Croy*	7K 15
Hartley Clo. *Brom*	6C 10
Hartley Rd. *Croy*	4B 14
Hartley Rd. *W'ham*	7J 33
Harton Clo. *Brom*	5A 10
Harts Cft. *Croy*	5A 22
Hartsmead Rd. *SE9*	6E 4
Harvel Clo. *Orp*	7K 11
Harvest Bank Rd. *W Wick*	7G 17
Harvest Way. *Swan*	4J 21
Harvill Rd. *Sidc*	2D 12
Harwood Av. *Brom*	6J 9 (3D 34)
Haseltine Rd. *SE26*	1A 8
Haslemere Rd. *T Hth*	2A 14
Hassock Wood. *Kes*	1A 24
Hassop Wlk. *SE9*	1B 10
Hastings Rd. *Brom*	5B 18
Hastings Rd. *Croy*	5E 14
Hathaway Clo. *Brom*	5C 18
Hathaway Rd. *Croy*	4A 14
Hatherley Rd. *Sidc*	1K 11
Hathern Gdns. *SE9*	1D 10
Hatton Rd. *Croy*	5A 14
Havelock Rd. *Brom*	1K 17
Havelock Rd. *Croy*	6E 14
Haven Clo. *SE9*	7E 4
Haven Clo. *Sidc*	3B 12
Haven Clo. *Swan*	6K 13
Haven Ct. *Beck*	6D 8
Haverstock Ct. *Orp*	6A 12
(off Cotmandene Cres.)	
Haverthwaite Rd. *Orp*	6G 19
Havisham Pl. *SE19*	4A 6
Hawes La. *W Wick*	5D 16
Hawes Rd. *Brom*	5J 9 (1D 34)
(in two parts)	
Hawfield Bank. *Orp*	7C 20
Hawke Rd. *SE19*	3C 6
Hawkhurst Way. *W Wick*	6C 16
Hawkinge Wlk. *Orp*	7A 12
Hawkins Way. *SE6*	2B 8
Hawksbrook La. *Beck*	3C 16
(in two parts)	
Hawkshead Clo. *Brom*	4F 9
Hawkwood La. *Chst*	5F 11
Hawley's Corner	3G 33
Hawstead La. *Orp*	2E 26
Hawthorn Clo. *Brom*	3G 19
Hawthornden Clo. *Brom*	6G 17
Hawthornden Rd. *Brom*	6G 17
Hawthorn Dri. *W Wick*	1F 23
Hawthorne Av. *Big H*	4F 29
Hawthorne Av. *T Hth*	5A 6
Hawthorne Clo. *Brom*	7C 10
Hawthorne Rd. *Brom*	7B 10
Hawthorn Gro. *SE20*	4G 7
Haxted Rd. *Brom*	5J 9 (1E 34)
Haydens Clo. *Orp*	3B 20
Hayes	5H 17
Hayes Chase. *W Wick*	3E 16
Hayes Clo. *Brom*	6H 17
Hayesford Pk. Dri. *Brom*	2G 17

Hayes Garden. *Brom*	6H 17
HAYES GROVE PRIORY HOSPITAL	6H 17
Hayes Hill. *Brom*	5F 17
Hayes Hill Rd. *Brom*	5G 17
Hayes La. *Beck*	7D 8
Hayes La. *Brom*	2H 17
Hayes Mead Rd. *Brom*	5F 17
Hayes Rd. *Brom*	1H 17 (7C 34)
Hayes St. *Brom*	5J 17
Hayes Way. *Beck*	1D 16
Hayes Wood Av. *Brom*	5J 17
Hayfield Rd. *Orp*	2K 19
Hayne Rd. *Beck*	6A 8
Haynes La. *SE19*	3D 6
Haysleigh Gdns. *SE20*	6F 7
Haywood Ri. *Orp*	2H 25
Haywood Rd. *Brom*	1A 18
Hazel Bank. *SE25*	6D 6
Hazel Clo. *Croy*	4J 15
Hazel End. *Swan*	2K 21
Hazel Gro. *SE26*	1J 7
Hazel Gro. *Orp*	6E 18
Hazelhurst. *Beck*	5E 8
Hazelhurst Ct. *SE6*	2D 8
(off Beckenham Hill Rd.)	
Hazelmere Rd. *Orp*	1F 19
Hazelmere Way. *Brom*	3H 17
Hazel Wlk. *Brom*	3D 18
Hazelwood	7G 25
Hazelwood Houses. *Short*	7F 9
Hazelwood Rd. *Cud*	1B 30
Hazledean Rd. *Croy*	6C 14
Headcorn Rd. *Brom*	2G 9
Headley Ct. *SE26*	2H 7
Headley Dri. *New Ad*	4C 22
Healy Dri. *Orp*	1J 25
Hearn's Rd. *Orp*	1B 20
Heath Clo. *Orp*	4B 20
Heathclose. *Swan*	6K 13
Heatherbank. *Chst*	6D 10
Heather Ct. *Sidc*	3C 12
Heather End. *Swan*	1J 21
Heather Rd. *SE12*	6A 4
Heathfield. *Chst*	3F 11
Heathfield Clo. *Kes*	2K 23
Heathfield Ct. *SE20*	4H 7
Heathfield Gdns. *Croy*	7C 14
Heathfield La. *Chst*	3E 10
Heathfield Pde. *Swan*	6H 13
Heathfield Rd. *Brom*	4G 9
Heathfield Rd. *Croy*	7C 14
Heathfield Rd. *Kes*	2K 23
Heath Gro. *SE20*	4H 7
Heath Ho. *Sidc*	1J 11
Heathley End. *Chst*	3F 11
Heath Pk. Dri. *Brom*	7B 10
Heath Ri. *Brom*	3G 17
Heath Rd. *T Hth*	7B 6
Heathside. *Orp*	5F 19
Heathway. *Croy*	7A 16
Heathwood Gdns. *Swan*	6H 13
Heathwood Point. *SE23*	1J 7
Hedge Wlk. *SE6*	2C 8
Heights, The. *Beck*	4D 8
(in two parts)	
Helegan Clo. *Orp*	1J 25
Henderson Rd. *Big H*	1E 28
Henderson Rd. *Croy*	3C 14
Heneage Cres. *New Ad*	6D 22
Hengist Rd. *SE12*	4A 4
Hengist Way. *Brom*	1F 17
Henry Cooper Way. *SE9*	7C 4
Henry St. *Brom*	5J 9 (1E 34)
Hensford Gdns. *SE26*	1G 7
Henson Clo. *Orp*	6E 18
Henville Rd. *Brom*	5J 9 (2E 34)
Hepburn Gdns. *Brom*	5F 17
Herbert Rd. *Brom*	2A 18
Heritage Hill. *Kes*	2K 23
Hermitage Gdns. *SE19*	4B 6
Hermitage La. *SE25*	3F 15
(in two parts)	
Hermitage Rd. *SE19*	4B 6
Heron Ct. *Brom*	1K 17
Heron Cres. *Sidc*	7K 5
Herongate Rd. *Swan*	3K 13
Heron Rd. *Croy*	6D 14

Herron Ct. *Brom*	1G 17
Hesiers Hill. *Warl*	6A 28
Hesiers Rd. *Warl*	5A 28
Hetley Gdns. *SE19*	4E 6
Hever Cft. *SE9*	1D 10
Hever Gdns. *Brom*	6D 10
Hewett Pl. *Swan*	1J 21
Hewitt Clo. *Croy*	7B 16
Hewitts Rd. *Orp*	4E 26
Hewitts Roundabout (Junct.)	4E 26
Hextable	4K 13
Hibbs Clo. *Swan*	6J 13
Highams Hill. *Warl*	1C 28
Highbarrow Rd. *Croy*	5F 15
High Beeches. *Orp*	3K 25
High Beeches. *Sidc*	2D 12
High Broom Cres. *W Wick*	4C 16
Highbury Av. *T Hth*	6A 6
Highbury Clo. *W Wick*	6C 16
Highclere St. *SE26*	1K 7
Highcombe Clo. *SE9*	5C 4
High Elms Rd. *Dow & Orp*	7D 24
Highfield Av. *Orp*	3J 25
Highfield Dri. *Brom*	1F 17
Highfield Dri. *W Wick*	6C 16
Highfield Hill. *SE19*	4C 6
Highfield Rd. *Big H*	6E 28
Highfield Rd. *Brom*	1C 18
Highfield Rd. *Chst*	7J 11
High Firs. *Swan*	1K 21
High Gables. *Brom*	6F 9
Highgate Ho. *SE26*	1F 7
Highgro. *Brom*	5A 10
Highgrove Clo. *Chst*	5B 10
Highgrove Ct. *Beck*	4B 8
High Hill Rd. *Warl*	3A 28
Highland Cft. *Beck*	2C 8
Highland Rd. *SE19*	3D 6
Highland Rd. *Badg M*	6G 27
Highland Rd. *Brom*	5G 9 (1A 34)
Highlands Ct. *SE19*	3D 6
Highlands Rd. *Orp*	4A 20
High Level Dri. *SE26*	1F 7
High Mead. *W Wick*	6E 16
High Point. *SE9*	7G 5
High St. *SE20*	3H 7
High St. *SE25*	1E 14
High St. *Beck*	6B 8
High St. *Brom*	6H 9 (3B 34)
(in two parts)	
High St. *Chst*	3E 10
High St. *Croy*	6B 14
(in two parts)	
High St. *Dow*	7D 24
High St. *F'boro*	2E 24
High St. *G Str*	4J 25
High St. *Orp*	6K 19
High St. *St M*	3B 20
High St. *Swan*	7K 13
High St. *T Hth*	1B 14
High St. *W Wick*	5C 16
High Tor Clo. *Brom*	4J 9 (1D 34)
High Trees. *Croy*	5K 15
High Vw. Clo. *SE19*	6E 6
Highview Rd. *SE19*	3C 6
High Vw. Rd. *Dow*	6D 24
High Vw. Rd. *Sidc*	4J 5
Highway, The. *Orp*	2A 26
Highwood	7F 9
Highwood Clo. *Orp*	6F 19
Highwood Dri. *Orp*	6F 19
Hilborough Way. *Orp*	2G 25
Hilda May Av. *Swan*	7K 13
Hilda Va. Clo. *Orp*	1E 24
Hilda Va. Rd. *Orp*	1D 24
Hildenborough Gdns. *Brom*	3F 9
Hildenborough Ho. *Beck*	4A 8
(off Bethersden Rd.)	
Hildenlea Pl. *Brom*	6E 8
Hill Brow. *Brom*	5A 10
Hill Brow Clo. *Bex*	1J 13
Hillbrow Rd. *Brom*	4F 9
Hill Clo. *Chst*	2E 10
Hillcrest Clo. *SE26*	1F 7

Links Way—Meadow Way

Links Way. Beck 3B 16
Link, The. SE9. . . . . 7F 5
(off William Barefoot Dri.)
Link Way. Brom. 4B 18
Linslade Rd. Orp 3K 25
Linton Glade. Croy. 6A 22
(in two parts)
Linton Gro. SE27. . . . . 2A 6
Lionel Gdns. SE9. . . . . 2C 4
Lionel Rd. SE9 . . . . 2C 4
Lion Rd. Croy 2B 14
Lions Clo. SE9 . . . . 7C 4
Liskeard Clo. Chst 3F 11
Little Acre. Beck 7B 8
Little Birches. Sidc 6K 5
Little Bornes. SE21 . . . . 1D 6
Littlebrook Clo. Croy 3J 15
Little Ct. W Wick 6F 17
Littlejohn Rd. Orp 3K 19
Littlemede. SE9. . . . . 7E 4
Little Redlands. Brom 6B 10
Littlestone Clo. Beck 3B 8
Little Theatre, The.
. . . . 5H 9 (2C 34)
Little Thrift. Orp. 1F 19
Lit. Wood Clo. Orp 5K 11
Liverpool Rd. T Hth. 7B 6
Livingstone Rd. T Hth 6B 6
Llewellyn Ct. SE20 . . . . 5H 7
Lloyds Way. Beck 2K 15
Lockesley Dri. Orp. 3J 19
Lockie Pl. SE25. . . . . 7F 7
Locksbottom. 7D 18
Lockwood Clo. SE26 . . . . 1J 7
Lodge Clo. Orp 5A 20
Lodge Cres. Orp 5A 20
Lodge Gdns. Beck 2A 16
Lodge La. New Ad. 3B 22
Lodge Rd. Brom 4J 9
Lodge Rd. Croy. 3A 14
Logs Hill. Chst 4B 10
Logs Hill Clo. Chst. 5B 10
Lomas Clo. Croy. 4D 22
London Biggin Hill Airport.
. . . . 1F 29
London La. Brom 4G 9
London Rd. Badg M 5E 26
London Rd. Brom. . . . 4G 9 (1A 34)
London Rd. Hals. 7G 27
London Rd.
Swan & F'ham. 5H 13
(in four parts)
London Rd.
T Hth & Croy 2A 14
London Rd. W'ham. 5H 33
London Towers Basketball. . . 3F 7
(Crystal Palace National Sports Cen.)
Long Acre. Orp 6C 20
Longbury Clo. Orp. 7A 12
Longbury Dri. Orp. 7A 12
Longcroft. SE9 . . . . 7E 4
Longdon Wood. Kes 7B 18
Longdown Rd. SE6. . . . . 1B 8
Longfield. Brom 5G 9 (1A 34)
Longford Ho. Brom 2E 8
(off Brangbourne Rd.)
Longheath Gdns. Croy. 2H 15
Longhedge Ho. SE26. . . . . 1F 7
(off High Level Dri.)
Longhill Rd. SE6 . . . . 1E 8
Longhurst Rd. Croy. 3G 15
Longlands. 7J 5
Longlands Pk. Cres. Sidc. 7K 5
Longlands Rd. Sidc 7K 5
Long La. Croy. 3G 15
Longleat M. Orp 1B 20
Longley Rd. Croy 4A 14
Longmead. Chst 6D 10
Longmead Ho. SE27 . . . . 2B 6
Long Mdw. Clo. W Wick 4D 16
Longmeadow Rd. Sidc 5K 5
Longton Av. SE26 . . . . 1F 7
Longton Gro. SE26 . . . . 1G 7
Lonsdale Clo. SE9. . . . . 7C 4
Lonsdale Rd. SE25 . . . . 1G 15
Loop Rd. Chst. 3F 11
Loraine Ct. Chst. 2E 10
Lorne Av. Croy. 4J 15
Lorne Gdns. Croy 4J 15
Lotus Rd. Big H 7H 29
Louis Gdns. Chst. 1C 10
Lovelace Av. Brom 3D 18
Lovelace Grn. SE9. . . . . 1E 4
Love La. SE25. . . . . 7G 7
(in two parts)
Love La. Brom 4D 34
(in two parts)
Lovibonds Av. Orp. 1E 24
Low Cross Wood La. SE21 . . . 1E 6
Lwr. Addiscombe Rd.
Croy 5D 14
Lower Camden. Chst. 4C 10
Lwr. Church St. Croy. 6A 14
Lwr. Coombe St. Croy. 7B 14
Lwr. Drayton Pl. Croy 6A 14
Lwr. Gravel Rd. Brom 5B 18
Lower Rd. Orp 3A 20
Lower Sydenham. 1J 7
Lwr. Sydenham Ind. Est.
SE26 . . . . 2A 8
Lownds Ct. Brom 6H 9 (3C 34)
Loxley Clo. SE26. . . . . 2J 7
Loxwood Clo. Orp. 6C 20
Lubbock Rd. Chst. 4C 10
Lucas Ct. SE26 . . . . 2K 7
Lucas Rd. SE20 . . . . 3H 7
Lucerne Rd. Orp 5J 19
Lucerne Rd. T Hth. 2A 14
Ludford Clo. Croy 7A 14
Ludlow Clo. Brom. . . . 7H 9 (6B 34)
Luffman Rd. SE12. . . . . 7A 4
Lullarook Clo. Big H. 5E 28
Lullingstone Av. Swan 7K 13
Lullingstone Clo. Orp. 4A 12
Lullingstone Cres. Orp. 4K 11
Lullington Gth. Brom 4F 9
Lullington Rd. SE20. . . . . 4F 7
Lulworth Rd. SE9 . . . . 6D 4
Lunar Clo. Big H 5F 29
Luna Rd. T Hth 7B 6
Lunham Rd. SE19. . . . . 3D 6
Lupin Clo. Croy 5J 15
Lupton Clo. SE12 . . . . 7A 4
Luscombe Ct. Brom. 6F 9
Lushington Rd. SE6 . . . . 1C 8
Lusted Hall La. Tats. 2A 32
Luxfield Rd. SE9. . . . . 5D 4
Luxted. 3J 29
Luxted Rd. Dow. 1J 29
Lyall Av. SE21. . . . . 1D 6
Lych Ga. Rd. Orp. 5K 19
Lyconby Gdns. Croy 4K 15
Lydd Clo. Sidc. 7K 5
Lydstep Rd. Chst. 1D 10
Lyme Farm Rd. SE12. . . . . 1A 4
Lymer Av. SE19. . . . . 2E 6
Lyminge Clo. Sidc 1J 11
Lynden Hyrst. Croy 6E 14
Lynden Way. Swan 7H 13
Lyndhurst Clo. Croy. 7E 14
Lyndhurst Clo. Orp 1E 24
Lyndhurst Rd. T Hth 1A 14
Lynmouth Ri. Orp 1A 20
Lynne Clo. Orp. 3J 25
Lynstead Ct. Beck 6K 7
Lynsted Clo. Brom. 6K 9
Lynsted Gdns. SE9 . . . . 1C 4
Lynton Av. Orp 1A 20
Lynwood Gro. Orp. 4H 19
Lyoth Rd. Orp 6F 19
Lyric M. SE26. . . . . 1H 7
Lysander Way. Orp. 7F 19
Lytchet Rd. Brom 4H 9

M

Maberley Cres. SE19. . . . . . . 4F 7
Maberley Rd. SE19 . . . . 5E 6
Maberley Rd. Beck. 7J 7
Macclesfield Rd. SE25. . . . . . 2H 15
Mace La. Cud 2B 30
Mackenzie Rd. Beck 6H 7
Madan Rd. W'ham. 7J 33
Mada Rd. Orp 7E 18
Maddocks Clo. Sidc 2D 12
Madeira Av. Brom 4F 9
Madeline Rd. SE20 . . . . 4F 7
Madison Gdns.
Brom 7G 9 (6A 34)
Maesmaur Rd. Tats 3C 32
Magdalen Gro. Orp 1A 26
Magnolia Dri. Big H 5F 29
Magpie Hall Clo. Brom. 3B 18
Magpie Hall La. Brom 4B 18
Maidstone Rd. Sidc. 3C 12
Mainridge Rd. Chst. 1D 10
Main Rd. Big H & Kes 2E 28
Main Rd. Crock 3J 21
Main Rd. Orp 7B 12
Main Rd. Sidc 7J 5
Main Rd. Cotts. Prat B. 5B 26
Maitland Rd. SE26. . . . . 3J 7
Malan Clo. Big H. 6G 29
Malcolm Rd. SE20 . . . . 4H 7
Malcolm Rd. SE25. . . . . 3F 15
Malden Av. SE25. . . . . 1G 15
Malibu Ct. SE26 . . . . 1G 7
Mallard Wlk. Beck 2J 15
Mallard Wlk. Sidc 3B 12
Malling Clo. Croy 3H 15
Malling Way. Brom 4G 17
Mallow Clo. Croy. 5J 15
Mall, The. Brom 7H 9 (5C 34)
Mall, The. Croy 6B 14
Mall, The. Swan 7K 13
Malmains Clo. Beck. 1E 16
Malmains Way. Beck 1D 16
Maltby Clo. Orp. 5K 19
Maltings, The. Orp 5J 19
Malvern Clo. SE20. . . . . 6F 7
Malvern Rd. Orp 1A 26
Malvern Rd. T Hth. 1A 14
Malyons Rd. Swan 4K 13
Manchester Rd. T Hth 7B 6
Manitoba Gdns. G Str 3J 25
Mann Clo. Croy. 7B 14
Manning Rd. Orp. 2C 20
Manor Brook. SE3. . . . . 1A 4
Manor Ct. W Wick. 5C 16
Manorfields Clo. Chst 7J 11
Manor Gro. Beck. 6C 8
Manor Pk. Chst. 6G 11
Mnr. Park Clo. W Wick 5C 16
Mnr. Park Rd. Chst 5F 11
Mnr. Park Rd. W Wick. 5C 16
Manor Pl. Chst 6G 11
Manor Rd. SE25 . . . . 1F 15
Manor Rd. Beck 6C 8
Manor Rd. Tats. 2D 32
Manor Rd. W Wick 6C 16
Manor Way. SE3 . . . . 1A 4
Manor Way. Beck 6B 8
Manor Way. Brom. 3B 18
Manor Way. Orp 1F 19
Mansfield Clo. Orp. 4C 20
Mansfield Rd. Swan 3K 13
Manston Clo. SE20. . . . . 5H 7
Maple Clo. Orp 2G 19
Maple Clo. Swan. 6K 13
Maple Ct. Croy 7B 14
(off Lwr. Coombe St.)
Mapledale Av. Croy 6F 15
Mapledene. Chst 2F 11
Maplehurst. Brom 6F 9
Maple Leaf Clo. Big H 5F 29
Maple Leaf Dri. Sidc 5K 5
Maple Rd. SE20 . . . . 5G 7
Maplethorpe Rd. T Hth 1A 14
Mapleton Clo. Brom 3H 17
Marbrook Ct. SE12 . . . . 7B 4
Marcellina Way. Orp 7H 19
Mardell Rd. Croy. 2J 15
Marden Av. Brom 3G 17
Marechal Niel Av. Sidc. 7J 5
Marechal Niel Pde. Sidc. 7J 5
(off Main Rd.)
Mares Fld. Croy. 7D 14
Margaret Gardner Dri. SE9. . . . 6E 4
Marigold Way. Croy. 5J 15
Marina Clo. Brom. . . . 7H 9 (5B 34)
Marion Cres. Orp. 2K 19
Marion Rd. T Hth 2B 14
Marke Clo. Kes 1B 24
Market Mdw. Orp 1B 20
Market Pde. Brom. 2C 34
Market Pde. Sidc. 1A 12
Market Sq. Brom 6H 9 (3B 34)
(in two parts)
Market Way. W'ham. 7J 33
Markfield. Croy 6A 22
(in three parts)
Markwell Clo. SE26. . . . . 1G 7
Marlborough Clo. Orp 3J 19
Marlborough Rd. Brom 1K 17
Marlings Clo. Chst 1H 19
Marlings Pk. Av. Chst 1H 19
Marlow Clo. SE20. . . . . 7G 7
Marlowe Clo. Chst. 3G 11
Marlowe Gdns. SE9. . . . . 3F 5
Marlow Rd. SE20 . . . . 7G 7
Marlwood Clo. Sidc. 6K 5
Maroons Way. SE6 . . . . 1B 8
Marriett Ho. SE6. . . . . 1D 8
Marsden Way. Orp. 7J 19
Marsham Clo. Chst 2E 10
Marston Way. SE19. . . . . 4A 6
Martell Rd. SE21. . . . . 1C 6
Martindale Av. Orp 2K 25
Martins Clo. Orp. 7C 12
Martins Clo. W Wick 5E 16
Martin's Rd. Brom. 6F 9
Marton Clo. SE6 . . . . 1B 8
Marvels Clo. SE12. . . . . 6A 4
Marvels La. SE12 . . . . 6A 4
(in two parts)
Marwell Clo. W Wick. 6G 17
Maryfield Clo. Bex. 1K 13
Maryland Rd. T Hth. 5A 6
Masefield Vw. Orp 7F 19
Mason's Av. Croy 7B 14
Masons Hill. Brom . . . 7H 9 (6C 34)
Matfield Clo. Brom 2H 17
Matilda Clo. SE19 . . . . 4C 6
Matthews Gdns. New Ad 7E 22
Maureen Ct. Beck 6H 7
Mavelstone Clo. Brom. 5B 10
Mavelstone Rd. Brom 5A 10
Maxwell Gdns. Orp 7J 19
May Av. Orp 2A 20
Mayberry Ct. Beck. 4A 8
(off Copers Cope Rd.)
Maybourne Clo. SE26 . . . . 3G 7
Maybury Clo. Orp 2E 18
Mayday Rd. T Hth 3A 14
MAYDAY UNIVERSITY HOSPITAL. 3A 14
Mayerne Rd. SE9 . . . . 2C 4
Mayeswood Rd. SE12. . . . . . . 1K 9
Mayfair Clo. Beck 5C 8
Mayfield Av. Orp 5J 19
Mayfield Clo. SE20 . . . . 5G 7
Mayfield Rd. Brom 2B 18
Mayfly Clo. Orp. 1C 20
Mayford Clo. Beck. 7J 7
Maylands Dri. Sidc 1C 12
Mayne Ct. SE26 . . . . 2G 7
Mayo Rd. Croy 2C 14
Mayow Rd. SE26 & SE23 . . . . 1J 7
Maypole. 3F 27
Maypole Rd. Orp. 2E 26
Mays Hill Rd. Brom 6F 9
Maywood Clo. Beck. 4C 8
McAuley Clo. SE9 . . . . 2G 5
McKillop Way. Sidc 4B 12
Meadow Av. Croy. 3J 15
Meadow Clo. SE6 . . . . 2B 8
Meadow Clo. Chst. 2E 10
Meadowcroft. Brom 7C 10
Meadow La. SE12. . . . . 7A 4
Meadow Rd. Brom. 6F 9
Meadows Ct. Sidc 3A 12
Meadowside. SE9 . . . . 1B 4
Meadows, The. Hals 2K 31
Meadows, The. Orp. 3B 26
Meadow Stile. Croy 7B 14
Meadow, The. Chst 3F 11
Meadow Vw. Orp. 7B 12
Meadowview Rd. SE6 . . . . 2A 8
Meadow Vw. Rd. T Hth 2A 14
Meadow Way. Orp. 7D 18

Speke Hill—Tent Peg La.

Speke Hill. SE9 7E 4
Speke Rd. T Hth 6C 6
Speldhurst Clo. Brom 2G 17
Spencer Clo. Orp 6H 19
Spencer Ct. Orp 2F 25
Spencer Gdns. SE9 2E 4
Spencer Pl. Croy 4C 14
Spencer Rd. Brom 4G 9
Spinney Clo. Beck 1C 16
Spinney Gdns. SE19 2E 6
Spinney Oak. Brom 6B 10
Spinneys, The. Brom 6C 10
Spinney, The. Sidc 2D 12
Spinney, The. Swan 6K 13
Spinney Way. Cud 7G 25
Spout Hill. Croy 2B 22
Springbourne Ct. Beck 5D 8
(in two parts)
Springfield Gdns. Brom 1C 18
Springfield Gdns. W Wick 6C 16
Springfield Ri. SE26 1G 7
(in two parts)
Springfield Rd. SE26 2G 7
Springfield Rd. Brom 1C 18
Springfield Rd. T Hth 5B 6
Spring Gdns. Big H 7E 28
Spring Gdns. Orp 3A 26
Spring Gro. SE19 4E 6
Spring Hill. SE26 1H 7
Springholm Clo. Big H 7E 28
Springhurst Clo. Croy 1A 22
Spring La. SE25 3G 15
Spring Park. **7B 16**
Spring Pk. Av. Croy 6J 15
Springpark Dri. Beck 7D 8
Spring Pk. Rd. Croy 6J 15
Spring Shaw Rd. Orp 5K 11
Springvale Retail Pk. Orp 7B 12
Springvale Way. Orp 7B 12
Sprucedale Clo. Swan 6K 13
Sprucedale Gdns. Croy 7J 15
Spruce Pk.
Brom 1G 17 (7A 34)
Spruce Rd. Big H 5F 29
Spurgeon Av. SE19 5C 6
Spurgeon Rd. SE19 5C 6
Spurrell Av. Bex 1J 13
Spur Rd. Orp 6K 19
Square, The. Swan 7J 13
Square, The. Tats 2B 32
Squires Way. Dart 1J 13
Squires Wood Dri. Chst 4B 10
Squirrel Clo. Orp 5H 19
Squirrels Drey. Brom 6F 9
(off Park Hill Rd.)
Stables End. Orp 7F 19
Stables M. SE27 2B 6
Stafford Rd. Sidc 1H 11
Stainer Ho. SE3 1B 4
Staines Wlk. Sidc 3B 12
Stainmore Clo. Chst 5G 11
Stalisfield Pl. Dow 6D 24
Stambourne Way. SE19 4D 6
Stambourne Way. W Wick 6D 16
Stamford Dri.
Brom 1G 17 (7A 34)
Standard Rd. Dow 6D 24
Standish Ho. SE3 1A 4
(off Elford Clo.)
Stanger Rd. SE25 1F 15
Stanhill Cotts. Dart 4J 13
Stanhope Av. Brom 5G 17
Stanhope Gro. Beck 2A 16
Stanhope Rd. Croy 7D 14
Stanhope Rd. Sidc 1K 11
Stanley Av. Beck 6D 8
Stanley Gro. Croy 3A 14
Stanley Rd. Brom 1J 17 (7E 34)
Stanley Rd. Croy 3A 14
Stanley Rd. Orp 5K 19
Stanley Rd. Sidc 1K 11
Stanley Way. Orp 2A 20
Stanmore Ter. Beck 6B 8
Stanstead Clo. Brom 2G 17
Stanton Clo. Orp 4B 20
Stanton Rd. SE26 1A 8
Stanton Rd. Croy 4B 14
Stanton Sq. SE26 1A 8
Stanton Way. SE26 1A 8
Stapleton Rd. Orp 7J 19
Star Hill Rd. Dun G 5K 31
Star La. Orp 1B 20
Starts Clo. Orp 7D 18
Starts Hill Av. F'boro 1E 24
Starts Hill Rd. Orp 7D 18
State Farm Av. Orp 1E 24
Station App. SE3 1A 4
Station App. SE26 1H 7
(Sydenham Rd.)
Station App. SE26 2A 8
(Westerley Cres.)
Station App. Beck 5B 8
Station App. Brom 7H 9 (6C 34)
(off High St.)
Station App. Chels 2A 26
Station App. Chst 3B 10
(Elmstead La.)
Station App. Chst 5D 10
(Lower Camden)
Station App. Hayes 5H 17
Station App. Orp 6J 19
Station App. St M 1A 20
Station App. Swan 1K 21
Station App. W Wick 4D 16
Station Cotts. Chels 6J 19
Station Est. Beck 7J 7
Station Hill. Brom 6H 17
Station Rd. SE20 3H 7
Station Rd. SE25 1E 14
Station Rd. Brom 5H 9 (2C 34)
Station Rd. Croy 5B 14
Station Rd. Hals 6E 26
Station Rd. Orp 6J 19
Station Rd. St P 1B 20
Station Rd. Short 6F 9
Station Rd. Sidc 1K 11
Station Rd. Swan 1K 21
Station Rd. W Wick 5D 16
Station Sq. Orp 2F 19
Steep Clo. Orp 3J 25
Steep Hill. Croy 7D 14
Steeple Heights Dri. Big H 6F 29
Stembridge Rd. SE20 6G 7
Stephen Clo. Orp 7J 19
Sterling Ho. SE3 1A 4
Steve Biko La. SE6 1B 8
Stevens Clo. Beck 3B 8
Stevens Clo. Bex 1J 13
Stewart Clo. Chst 2E 10
Steyning Gro. SE9 1C 10
Stiles Clo. Brom 3C 18
Stirling Dri. Orp 2A 26
Stockbury Rd. Croy 3H 15
Stock Hill. Big H 5F 29
Stockwell Clo.
Brom 6J 9 (4D 34)
Stodart Rd. SE20 5H 7
Stofield Gdns. SE9 7C 4
Stokes Rd. Croy 3J 15
Stoms Path. SE6 2B 8
Stonegate Clo. Orp 7B 12
Stonehill Green. **4H 13**
Stonehill Woods Pk. Sidc 3G 13
Stonehouse La. Hals 5C 26
Stonehouse Rd. Hals 6B 26
Stoneings La. Knock 7D 30
Stoneleigh Pk. Av. Croy 3J 15
Stone Pk. Av. Beck 1B 16
Stone Rd. Brom 2G 17
Stones Cross Rd. Swan 2H 21
Stoney La. SE19 3E 6
Storrington Rd. Croy 5E 14
Stour Clo. Kes 1K 23
Stowell Av. New Ad 6E 22
Stowe Rd. Orp 1A 26
Stowting Rd. Orp 1H 25
Stratford Ho. Av. Brom 7B 10
Stratford Rd. T Hth 1A 14
Strathaven Rd. SE12 3A 4
Strathmore Rd. Croy 4C 14
Strathyre Av. SW16 7A 6
Strawberry Fields. Swan 5K 13
Streamside Clo.
Brom 1H 17 (7C 34)
Stretton Rd. Croy 4D 14
Strickland Way. Orp 1J 25
Strongbow Cres. SE9 2E 4
Strongbow Rd. SE9 2E 4
Stroud Grn. Gdns. Croy 4H 15
Stroud Grn. Way. Croy 4G 15
Stroud Rd. SE25 3F 15
Stuart Av. Brom 5H 17
Stuart Ct. Croy 7A 14
(off St John's Rd.)
Stuart Cres. Croy 7A 16
Stuart Rd. T Hth 1B 14
Stubbs Hill. Prat B 2G 31
Studland Rd. SE26 2J 7
Studley Ct. Sidc 2A 12
Stumps Hill La. Beck 3B 8
Sturges Fld. Chst 3G 11
Styles Way. Beck 1D 16
Sudbury Cres. Brom 3H 9
Sudbury Gdns. Croy 7D 14
Suffield Rd. SE20 6H 7
Suffolk Ho. SE20 5J 7
(off Croydon Rd.)
Suffolk Ho. Croy 6C 14
(off George St.)
Suffolk Rd. SE25 1E 14
Suffolk Rd. Sidc 3B 12
Sultan St. Beck 6J 7
Summerfields. Brom 2E 34
Summer Hill. Chst 6D 10
Summerhill Clo. Orp 7H 19
Summerhill Vs. Chst 5D 10
(off Susan Wood)
Summerhouse Dri.
Bex & Dart 1J 13
Summerlands Lodge.
Orp 1D 24
Summit Way. SE19 4D 6
Sumner Clo. Orp 1F 25
Sumner Gdns. Croy 5A 14
Sumner Rd. Croy 5A 14
Sumner Rd. S. Croy 5A 14
Sundial Av. SE25 7E 6
Sundridge. **3K 9**
Sundridge Av. Brom 5A 10
Sundridge Hill. Knock 7G 31
Sundridge La. Knock 6F 31
Sundridge Pde. Brom 4J 9
Sundridge Park. **4J 9**
Sundridge Pl. Croy 5F 15
Sundridge Rd. Croy 4E 14
Sunningdale Rd. Brom 1B 18
Sunningvale Av. Big H 4E 28
Sunningvale Clo. Big H 4F 29
Sunny Bank. SE25 7F 7
Sunnycroft Rd. SE25 7F 7
Sunnydale. Orp 6D 18
Sunnydale Rd. SE12 2A 4
Sunnydene St. SE26 1K 7
Sunnyfield Rd. Chst 7K 11
Sunray Av. Brom 3B 18
Sunset Gdns. SE25 6E 6
Superior Dri. G Str 3J 25
Surrey M. SE27 1D 6
Surrey Rd. W Wick 5C 16
Surrey St. Croy 6B 14
Surridge Gdns. SE19 3C 6
Susan Wood. Chst 5D 10
Sussex Rd. Orp 3B 20
Sussex Rd. Sidc 2A 12
Sussex Rd. W Wick 5C 16
Sussex Ter. SE20 4H 7
(off Graveney Gro.)
Sutherland Av. Big H 6F 29
Sutherland Av. Orp 3J 19
Sutherland Av. Well 1K 5
Sutherland Rd. Croy 4A 14
Sutton Clo. Beck 5C 8
Sutton Ct. SE19 4E 6
Sutton Gdns. SE25 2E 14
Swain Rd. T Hth 2B 14
Swallowtail Clo. Orp 1C 20
Swan Clo. Croy 4D 14
Swan Clo. Orp 7K 11
Swanley. **1K 21**
Swanley By-Pass.
Sidc & Swan 5G 13
Swanley Cen. Swan 7K 13
Swanley La. Swan 7K 13
Swan, The (Junct.) **6D 16**
Sward Rd. Orp 3K 19
Sweeps La. Orp 2C 20
Swievelands Rd. Big H 1A 32
Swiftsden Way. Brom 3F 9
Swinburne Cres. Croy 3H 15
Swires Shaw. Kes 1A 24
Swithland Gdns. SE9 1D 10
Sycamore Clo. SE9 6D 4
Sycamore Dri. Swan 7K 13
Sycamore Gro. SE20 5F 7
Sycamore Ho. Short 6F 9
Sycamore Lodge. Orp 6J 19
Sydenham. **1H 7**
Sydenham Av. SE26 2G 7
Sydenham Cotts. SE12 6B 4
Sydenham Ct. Croy 5C 14
(off Sydenham Rd.)
Sydenham Pk. SE26 1H 7
Sydenham Pk. Rd. SE26 1H 7
Sydenham Rd. SE26 1H 7
Sydenham Rd. Croy 5B 14
Sydney Rd. Sidc 1H 11
Sylvan Est. SE19 5E 6
Sylvan Hill. SE19 5D 6
Sylvan Rd. SE19 5E 6
Sylvan Wlk. Brom 7C 10
Sylvan Way. W Wick 1F 23
Sylverdale Rd. Croy 7A 14
Sylvester Av. Chst 3C 10

T

Tait Rd. Croy 4D 14
Talbot Rd. T Hth 1C 14
Talisman Sq. SE26 1F 7
Tall Elms Clo. Brom 2G 17
Tamworth Pl. Croy 6B 14
Tamworth Rd. Croy 6A 14
Tandridge Dri. Orp 5G 19
Tandridge Pl. Orp 5G 19
Tanfield Rd. Croy 7B 14
Tangleberry Clo. Brom 1C 18
Tanglewood Clo. Croy 7H 15
Tanglewood Ct. Orp 7B 12
Tannery Clo. Beck 2J 15
Tannsfeld Rd. SE26 2J 7
Tara Ct. Beck 6C 8
Tarling Clo. Sidc 1A 12
Tarnwood Pk. SE9 4E 4
Tarquin Ho. SE26 1F 7
(off High Level Dri.)
Tarragon Gro. SE26 3J 7
Tatsfield. **3B 32**
Tatsfield Green. **3D 32**
Tatsfield La. Tats 3E 32
Tattersall Clo. SE9 2D 4
Tavistock Ct. Croy 5C 14
(off Tavistock Rd.)
Tavistock Ga. Croy 5C 14
Tavistock Gro. Croy 4C 14
Tavistock Rd.
Brom 1G 17 (7A 34)
Tavistock Rd. Croy 5C 14
Taylor Clo. Orp 1J 25
Taylor Ct. SE20 6H 7
(off Elmers End Rd.)
Taylors Clo. Sidc 7K 5
Taylor's La. SE26 1G 7
Teal Av. Orp 1C 20
Teasel Clo. Croy 5J 15
Teesdale Gdns. SE25 6D 6
Teevan Clo. Croy 4F 15
Teevan Rd. Croy 5F 15
Telegraph Path. Chst 2E 10
Teleman Sq. SE3 1A 4
Telford Clo. SE19 3E 6
Telford Rd. SE9 6J 5
Telscombe Clo. Orp 6H 19
Temple Av. Croy 6A 16
Temple Rd. Big H 6F 29
Templeton Clo. SE19 5C 6
Tennison Rd. SE25 1E 14
Tennyson Rd. SE20 4J 7
Tenterden Clo. SE9 1B 10
Tenterden Gdns. Croy 4F 15
Tenterden Rd. Croy 4F 15
Tent Peg La. Orp 2F 19

Terrace Hill—Warlingham Rd.

Terrace Hill. Croy. 7A **14**
(off Hanover St.)
Tetty Way. *Brom* 6H **9** (3B **34**)
Teynham Ct. *Beck* 7C **8**
Teynham Grn. *Brom* 2H **17**
Thakeham Clo. *SE26* 1G **7**
Thanescroft Gdns. *Croy* 7D **14**
Thanet Dri. *Kes* 7A **18**
Thanet Ho. Croy 7B **14**
(off Coombe Rd.)
Thanet Pl. *Croy* 7B **14**
Thaxted Rd. *SE9* 7H **5**
Thayers Farm Rd. *Beck* 5K **7**
Theobald Rd. *Croy* 6A **14**
Thesiger Rd. *SE20* 4J **7**
Thicket Gro. *SE19* 4F **7**
Thicket Rd. *SE20* 4F **7**
Thirlmere Ri. *Brom* 3G **9**
Thirsk Rd. *SE25* 1C **14**
Thistlemead. *Chst* 6E **10**
Thistlewood Cres. *New Ad* 7E **22**
Thomas Dean Rd. *SE26* 1A **8**
Thomas Dinwiddy Rd.
SE12 6A **4**
Thomas Turner Path.
Croy 6B **14**
(off George St.)
Thorn Clo. *Brom* 3D **18**
Thorndon Clo. *Orp* 6J **11**
Thorndon Rd. *Orp* 6J **11**
Thornes Clo. *Beck* 7D **8**
Thornet Wood Rd. *Brom* 7D **10**
Thornhill Rd. *Croy* 4B **14**
Thornlaw Rd. *SE27* 1A **6**
Thornsett Pl. *SE20* 6G **7**
Thornsett Rd. *SE20* 6G **7**
Thornsett Ter. SE20 6G **7**
(off Croydon Rd.)
Thornton Dene. *Beck* 6B **8**
Thornton Heath 1B 14
Thornton Rd. *Brom* 2H **9**
Thornton Row. *T Hth* 2A **14**
Thorpe Clo. *SE26* 1J **7**
Thorpe Clo. *New Ad* 7D **22**
Thorpe Clo. *Orp* 6H **19**
Thorsden Way. *SE19* 2D **6**
Thriffwood. *SE26* 1H **7**
Thrift La. *Knock* 6C **30**
Thurbarn Rd. *SE6* 2C **8**
Thurlby Rd. *SE27* 1A **6**
Thurlestone Rd. *SE27* 1A **6**
Thursland Rd. *Sidc* 2D **12**
Thursley Cres. *New Ad* 4D **22**
Thursley Rd. *SE9* 7E **4**
Thyer Clo. *Orp* 1F **25**
Ticehurst Clo. *Orp* 4K **11**
Tidenham Gdns. *Croy* 7D **14**
Tideswell Rd. *Croy* 7B **16**
Tiepigs La. *W Wick* 6F **17**
Tierney Ct. *Croy* 6D **14**
Tiger La. *Brom* 1J **17** (7D **34**)
Tilbrook Rd. *SE3* 1B **4**
Tilbury Clo. *Orp* 6A **12**
Tile Farm Rd. *Orp* 7G **19**
Tile Kiln La. *Bex* 1K **13**
(in three parts)
Tilford Av. *New Ad* 5D **22**
Tillingbourne Grn. *Orp* 1J **19**
Tilt Yd. App. *SE9* 3E **4**
Timber Clo. *Chst* 6D **10**
Timberden Bottom 6K 27
Timbertop Rd. *Big H* 7E **28**
Tintagel Rd. *Orp* 6B **20**
Tipton Dri. *Croy* 7D **14**
Tirrell Rd. *Croy* 3B **14**
Titsey 7A 32
Titsey Hill. *T'sey* 5A **32**
Titsey Place 6A 32
Titsey Rd. *Oxt* 7A **32**
Tiverton Clo. *Croy* 4E **14**
Tiverton Dri. *SE9* 5H **5**
Tivoli Rd. *SE27* 2B **6**
Tom Coombs Clo. *SE9* 1D **4**
Tonge Clo. *Beck* 2B **16**
Tony Law Ho. *SE20* 5G **7**
Tootswood Rd. *Brom* 2F **17**
Topcliffe Dri. *Orp* 1G **25**
Topley St. *SE9* 1B **4**
Top Pk. *Beck* 2F **17**
Torridge Rd. *T Hth* 2A **14**
Torrington Ct. SE26 2F **7**
(off Crystal Pal. Pk. Rd.)
Torrington Sq. *Croy* 4C **14**
Torr Rd. *SE20* 4J **7**
Torver Way. *Orp* 7G **19**
Totton Rd. *T Hth* 7A **6**
Tourist Info. Cen. 7D 32
(Clacket Lane Services)
Tourist Info. Cen. 7B 14
(Croydon)
Tourist Info. Cen. 7K 13
(Swanley)
Tovil Clo. *SE20* 6G **7**
Tower Clo. *SE20* 4G **7**
Tower Clo. *Orp* 6J **19**
Tower Rd. *Orp* 6J **19**
Tower Vw. *Croy* 5K **15**
Towncourt Cres. *Orp* 2F **19**
Towncourt La. *Orp* 3G **19**
Townshend Clo. *Sidc* 3A **12**
Townshend Rd. *Chst* 2E **10**
Towpath Way. *SE25* 3E **14**
Toynbec Clo. *Chst* 1E **10**
Transmere Clo. *Orp* 3F **19**
Transmere Rd. *Orp* 3F **19**
Tredown Rd. *SE26* 2H **7**
Tredwell Clo. *Brom* 1B **18**
Tredwell Rd. *SE27* 1A **6**
Treebourne Rd. *Big H* 6E **28**
Treeview Clo. *SE19* 5D **6**
Treewall Gdns. *Brom* 1J **9**
Tregony Rd. *Orp* 1J **25**
Treloar Gdns. *SE19* 3C **6**
Tremaine Rd. *SE20* 6G **7**
Trenear Clo. *Orp* 1K **25**
Trenholme Clo. *SE20* 4G **7**
Trenholme Rd. *SE20* 4G **7**
Trenholme Ter. *SE20* 4G **7**
Trentham Dri. *Orp* 1K **19**
Tresco Clo. *Brom* 3F **9**
Trevenna Ho. SE23 1J **7**
(off Dacres Rd.)
Trevor Clo. *Brom* 4G **17**
Trewsbury Rd. *SE26* 2J **7**
Trinity Clo. *Brom* 5B **18**
Trinity Ct. *SE25* 3D **14**
Trinity Ct. *Croy* 6B **14**
Trinity M. *SE20* 5G **7**
Tristram Rd. *Brom* 1G **9**
Tritton Rd. *SE21* 1C **6**
Troy Rd. *SE19* 3C **6**
Trumble Gdns. *T Hth* 1A **14**
Trunks All. *Swan* 6G **13**
Truslove Rd. *SE27* 2A **6**
Tubbenden Clo. *Orp* 7H **19**
Tubbenden Dri. *Orp* 1G **25**
Tubbenden La. *Orp* 1G **25**
Tubbenden La. S. *Orp* 2G **25**
Tudor Clo. *Chst* 5C **10**
Tudor Ct. *SE9* 1D **4**
Tudor Ct. *Big H* 7G **29**
Tudor Ct. *Crock* 4H **21**
Tudor Gdns. *W Wick* 7D **16**
Tudor Pde. *SE9* 1D **4**
Tudor Pl. *SE19* 4E **6**
Tudor Rd. *SE19* 4E **6**
Tudor Rd. *SE25* 2G **15**
Tudor Rd. *Beck* 7D **8**
Tudor Way. *Orp* 3G **19**
Tudway Rd. *SE3* 1A **4**
Tugela Rd. *Croy* 3C **14**
Tugmutton Clo. *Orp* 1E **24**
Tulip Clo. *Croy* 5J **15**
Tulse Clo. *Beck* 7D **8**
Tummons Gdns. *SE25* 6D **6**
Tunstall Clo. *Orp* 1H **25**
Tunstall Rd. *Croy* 5D **14**
Turkey Oak Clo. *SE19* 4D **6**
Turnberry Way. *Orp* 5G **19**
Turner Rd. *Big H* 1E **28**
Turners Mdw. Way. *Beck* 5A **8**
Turnpike Dri. *Orp* 5B **26**
Turnpike Link. *Croy* 6D **14**
Turpington Clo. *Brom* 3B **18**
Turpington La. *Brom* 4B **18**
Tweedy Rd. *Brom* 5H **9** (2A **34**)
Tye La. *Orp* 2F **25**
Tylers Grn. Rd. *Swan* 3H **21**
Tylney Av. *SE19* 2E **6**
Tylney Rd. *Brom* 6A **10**
Tynley Av. *SE19* 2E **6**
Tynwald Ho. *SE26* 1F **7**
Tyrell Ho. Beck 2C **8**
(off Beckenham Hill Rd.)
Tyron Way. *Sidc* 1H **11**

U

Uffington Rd. *SE27* 1A **6**
Ullswater Clo. *Brom* 4F **9**
Undershaw Rd. *Brom* 1G **9**
Underwood. *New Ad* 2D **22**
Underwood, The. *SE9* 6E **4**
Union Rd. *Brom* 2A **18**
Union Rd. *Croy* 4B **14**
Unity Clo. *SE19* 2B **6**
Unity Clo. *New Ad* 5C **22**
Upchurch Clo. *SE20* 4G **7**
Updale Rd. *Sidc* 1J **11**
Upfield. *Croy* 7G **15**
Uplands. *Beck* 6B **8**
Uplands Rd. *Orp* 5A **20**
Up. Beulah Hill. *SE19* 5D **6**
Upper Dri. *Big H* 7E **28**
Upper Elmers End 2A 16
Up. Elmers End Rd. *Beck* 1K **15**
Upper Gro. *SE25* 1D **14**
Upper Norwood 5D 6
Up. Park Rd. *Brom* 5J **9** (2E **34**)
Upper Ruxley 4F 13
Upper Shirley 7J 15
Up. Shirley Rd. *Croy* 6H **15**
Upper Sydenham 1G 7
Upperton Rd. *Sidc* 2J **11**
Upton Ct. *SE20* 4H **7**
Upton Rd. *T Hth* 6C **6**
Upwood Rd. *SE12* 3A **4**
Urquhart Ct. *Beck* 4A **8**
Ursula Lodges. Sidc 2A **12**
(off Eynswood Dri.)
Uvedale Clo. *New Ad* 7E **22**
Uvedale Cres. *New Ad* 7E **22**

V

Valan Leas. *Brom* 7F **9**
Vale Clo. *Orp* 1D **24**
Valentyne Clo. *New Ad* 7F **23**
Vale Rd. *Brom* 5D **10**
Vale St. *SE27* 1C **6**
Valeswood Rd. *Brom* 2G **9**
Vale, The. *Croy* 6J **15**
Valley Rd. *Brom* 6F **9**
Valley Rd. *Orp* 5A **12**
Valley Vw. *Big H* 7E **28**
Valley Wlk. *Croy* 6H **15**
Valliers Wood Rd. *Sidc* 5K **5**
Vanburgh Clo. *Orp* 5H **19**
Vancouver Clo. *Orp* 1K **25**
Vandyke Cross. *SE9* 2D **4**
Vanessa Way. *Bex* 1J **13**
Vanguard Clo. *Croy* 5A **14**
Vanoc Gdns. *Brom* 1H **9**
Venner Rd. *SE26* 3H **7**
Verdayne Av. *Croy* 5J **15**
Vermont Rd. *SE19* 3C **6**
Vernon Clo. *Orp* 7A **12**
Versailles Rd. *SE20* 4F **7**
Veryan Clo. *Orp* 1B **20**
Vicarage Ct. *Beck* 7K **7**
Vicarage Dri. *Beck* 5B **8**
Vicarage Rd. *Croy* 7A **14**
Vicars Oak Rd. *SE19* 3D **6**
Viceroy Ct. *Croy* 5C **14**
Victoria Ct. *SE26* 3H **7**
Victoria Cres. *SE19* 3D **6**
Victoria Gdns. *Big H* 4E **28**
Victoria Rd. *Brom* 2A **18**
Victoria Rd. *Chst* 2D **10**
Victoria Rd. *Sidc* 1J **11**
Victor Rd. *SE20* 4J **7**
Victory Pl. *SE19* 4D **6**
View Clo. *Big H* 5E **28**
View Ct. *SE12* 7B **4**
Viewlands Av. *W'ham* 2K **33**
Vigilant Clo. *SE26* 1F **7**
Village Grn. Av. *Big H* 6G **29**
Village Grn. Way. *Big H* 6G **29**
Village Way. *Beck* 6B **8**
Villiers Rd. *Beck* 6J **7**
Vincennes Est. *SE27* 1C **6**
Vincent Clo.
Brom 1J **17** (7E **34**)
Vincent Clo. *Sidc* 5K **5**
Vincent Rd. *Croy* 4D **14**
Vincent Sq. *Big H* 2E **28**
Vine Rd. *Orp* 3J **25**
Viney Bank. *Croy* 5A **22**
Vinson Clo. *Orp* 5K **19**
Violet La. *Croy* 7A **14**
Virginia Rd. *T Hth* 5A **6**
Vista, The. *SE9* 3C **4**
Vista, The. *Sidc* 2J **11**
Vogue Ct. *Brom* 5J **9** (2E **34**)
Vulcan Way. *New Ad* 6F **23**

W

Waddington Way. *SE19* 4B **6**
Waddon 6A 14
Waddon Clo. *Croy* 7A **14**
Waddon New Rd. *Croy* 7A **14**
Waddon Pk. Av. *Croy* 7A **14**
Waddon Rd. *Croy* 7A **14**
Wade Av. *Orp* 4C **20**
Wadhurst Clo. *SE20* 6G **7**
Wagtail Wlk. *Beck* 2D **16**
Wagtail Way. *Orp* 1C **20**
Wakefield Ct. *SE26* 3H **7**
Wakefield Gdns. *SE19* 4D **6**
Wakely Clo. *Big H* 7E **28**
Waldegrave Rd. *SE19* 4E **6**
Waldegrave Rd. *Brom* 1B **18**
Waldegrove. *Croy* 7E **14**
Walden Av. *Chst* 1C **10**
Waldenhurst Rd. *Orp* 4C **20**
Walden Pde. *Chst* 3C **10**
(in two parts)
Walden Rd. *Chst* 3C **10**
Waldens Clo. *Orp* 4C **20**
Waldens Rd. *Orp* 4D **20**
Waldo Ind. Est. *Brom* 7A **10**
Waldo Rd. *Brom* 7A **10**
Waldron Gdns. *Brom* 7E **8**
Waldrons, The. *Croy* 7A **14**
Walkden Rd. *Chst* 2D **10**
Walmer Clo. *F'boro* 1G **25**
Walnuts Rd. *Orp* 5A **20**
Walnuts, The. *Orp* 5K **19**
Walnut Tree Clo. *Chst* 5G **11**
Walnut Way. *Swan* 6J **13**
Walpole Rd. *Brom* 2A **18**
Walpole Rd. *Croy* 6C **14**
Walsh Cres. *New Ad* 1A **28**
Walsingham Pk. *Chst* 6G **11**
Walsingham Rd. *New Ad* 6D **22**
Walsingham Rd. *Orp* 5A **12**
Walters Rd. *SE25* 1D **14**
Walters Yd.
Brom 6H **9** (3B **34**)
Waltham Clo. *Orp* 5C **20**
Walton Grn. *New Ad* 5C **22**
Walton Rd. *Sidc* 1A **12**
Walwyn Av. *Brom* 7A **10**
Wandle Ho. *Brom* 2E **8**
Wandle Pk. Trad. Est., The.
Croy 5A **14**
Wandle Rd. *Croy* 7B **14**
Wanstead Clo. *Brom* 6K **9**
Wanstead Rd. *Brom* 6K **9**
Warbank Clo. *New Ad* 6F **23**
Warbank Cres. *New Ad* 6F **23**
Wardens Fld. Clo. *G Str* 3H **25**
Warehouse Theatre 6C 14
Waring Clo. *Orp* 3J **25**
Waring Dri. *Orp* 3J **25**
Waring Rd. *Sidc* 3B **12**
Waring St. *SE27* 1B **6**
Warlingham Rd. *T Hth* 1A **14**

Warminster Gdns.—Woodbury Rd.

Warminster Gdns. SE25 6F 7
Warminster Rd. SE25 6E 6
Warminster Sq. SE25 6F 7
Warner Rd. Brom 4G 9
Warnford Rd. Orp 2J 25
Warren Av. Brom 4F 9
Warren Av. Orp 2J 25
Warren Ct. Beck 4B 8
Warren Ct. Croy 5D 14
Warren Ct. Farm. Hals 2J 31
Warren Dri. Orp 2A 26
Warren Gdns. Orp 2K 25
Warren Rd. Brom 6H 17
Warren Rd. Croy 5D 14
Warren Rd. Orp & Chels 2J 25
Warren Rd. Sidc 1B 12
Warren Wood Clo. Brom 6G 17
Warrington Ct. Croy 7A 14 (off Warrington Rd.)
Warrington Rd. Croy 7A 14
Warwick Clo. Orp 7K 19
Warwick Ct. Brom 6F 9
Warwick Ho. Swan 1K 21
Warwick Rd. SE20 7G 7
Warwick Rd. Sidc 2A 12
Warwick Rd. T Hth 7A 6
Washneys Rd. Orp 3E 30
Watcombe Pl. SE25 2G 15
Watcombe Rd. SE25 2G 15
Waterbank Rd. SE6 1C 8
Watercroft Rd. Hals 6E 26
Waterer Ho. SE6 1D 8
Waterfield Gdns. SE25 1C 14
Wateringbury Clo. Orp 7A 12
Watermead Rd. SE6 1D 8
Watermen's Sq. SE20 4H 7
Watermint Clo. Orp 1C 20
Waterside. Beck 5A 8
Waterton. Swan 1J 21
Water Tower Hill. Croy 7C 14
Waterworks Yd. Croy 7B 14
Watery La. Sidc 3A 12
Watlings Clo. Croy 3K 15
Watlington Gro. SE26 2K 7
Watts La. Chst 5E 10
Wavell Dri. Sidc 3K 5
Wavel Pl. SE26 1E 6
Waverley Clo. Brom 2A 18
Waverley Ct. SE26 2H 7
Waverley Rd. SE25 1G 15
Wayfield Link. SE9 3J 5
Waylands. Swan 1K 21
Waylands Clo. Knock 4J 31
Waylands Mead. Beck 5C 8
Wayne Clo. Orp 7J 19
Waynflete Av. Croy 7A 14
Wayside. New Ad 3C 22
Wayside Gro. SE9 1C 10
Weald Clo. Brom 6B 18
Weald, The. Chst 3C 10
Weaver Clo. Croy 7E 14
Weaver Wlk. SE27 1B 6
Wedgewood Ct. Brom 6A 34
Wedgwoods. Tats 3B 32
Wedgwood Way. SE19 4B 6
Weigall Rd. SE12 2A 4
Weighton M. SE20 6G 7
Weighton Rd. SE20 6G 7
Welbeck Av. Brom 1H 9
Wellands Clo. Brom 6C 10
Wellbrook Rd. Orp 1D 24
Weller Pl. Orp 7D 24
Wellesley Ct. Rd. Croy 6C 14
Wellesley Gro. Croy 6C 14
Wellesley Pas. Croy 6B 14
Wellesley Rd. Croy 5B 14
Well Hall Pde. SE9 1E 4
Well Hall Rd. SE9 1D 4
Well Hall Roundabout (Junct.) 1D 4
Well Hill 3G 27
Well Hill. Orp 3G 27
Well Hill La. Orp 3G 27
Wellhouse Rd. Beck 1B 16
Wellington Rd. Brom 1K 17
Wellington Rd. Croy 4A 14
Wellington Rd. Orp 3A 20
Welling Way. SE9 & Well 1H 5
Wells Ho. Brom 2J 9 (off Pike Clo.)
Wellsmoor Gdns. Brom 7D 10
Wells Pk. Rd. SE26 1F 7
Wells Rd. Brom 6C 10
Wendover Ct. Brom 6E 34
Wendover Rd. SE9 1C 4
Wendover Rd. Brom 1J 17 (7E 34)
Wendover Way. Orp 3K 19
Wensley Clo. SE9 3E 4
Wentworth Clo. Hayes 6H 17
Wentworth Clo. Orp 2H 25
Werndee Rd. SE25 1F 15
Wesley Clo. Orp 7B 12
Wessex Ct. Beck 5K 7
West App. Orp 2F 19
Westbourne Rd. SE26 3J 7
Westbourne Rd. Croy 3E 14
Westbrook Dri. Orp 5C 20
Westbrooke Rd. Sidc 6J 5
Westbrook Rd. T Hth 5C 6
Westbury Rd. SE20 5J 7
Westbury Rd. Beck 7K 7
Westbury Rd. Brom 5A 10
Westbury Rd. Croy 3C 14
West Comn. Rd. Brom & Kes 5H 17
Westcott Clo. Brom 2C 18
Westcott Clo. New Ad 5C 22
Westdean Av. SE12 5A 4
Westerham 7J 33
Westerham Hill 3G 33
Westerham Hill. W'ham 3F 33
Westerham Lodge. Beck 4B 8 (off Park Rd.)
Westerham Rd. Kes 4A 24
Westerham Trade Cen. W'ham 7J 33
Westerley Cres. SE26 2A 8
Westfield Rd. Beck 6A 8
Westfield Rd. Croy 6A 14
Westgate Ct. SE12 5A 4 (off Burnt Ash Hill)
Westgate Rd. SE25 1G 15
Westgate Rd. Beck 6C 8
West Hallowes. SE9 5C 4
Westharold. Swan 7J 13
West Hill. Orp 1H 29
Westholme. Orp 4H 19
Westhorne Av. SE12 & SE9 4A 4
Westhurst Dri. Chst 2E 10
Westland Dri. Brom 6G 17
Westleigh Dri. Brom 5B 10
Westminster Av. T Hth 6A 6
Westmoat Clo. Beck 4D 8
Westmore Grn. Tats 2B 32
Westmoreland Av. Well 1K 5
Westmoreland Pl. Brom 7H 9 (6C 34)
Westmoreland Rd. Brom 2F 17 (7A 34)
Westmore Rd. Tats 3B 32
Westmorland Ter. SE20 4G 7
Westmount Rd. SE9 1F 5
West Norwood 1B 6
West Norwood Crematorium. SE27 1B 6
West Oak. Beck 5E 8
Weston Gro. Brom 5G 9 (1A 34)
Weston Rd. Brom 4G 9 (1A 34)
Westow Hill. SE19 3D 6
Westow St. SE19 3D 6
West Pk. SE9 6D 4
West St. Brom 5H 9 (2B 34)
West St. Croy 7B 14
W. Street Pl. Croy 7B 14 (off West St.)
West Ter. Sidc 5K 5
W. View Rd. Crock 3J 21
West Way. Croy 6K 15
Westway. Orp 2G 19
West Way. W Wick 3E 16
W. Way Gdns. Croy 6J 15
Westwell Clo. Orp 5C 20
West Wickham 5D 16
Westwood Av. SE19 5B 6
Westwood Clo. Brom 6A 10
Westwood Hill. SE26 2F 7
Westwood Pl. SE26 1F 7
Weybridge Rd. T Hth 1A 14
Weymouth Ho. Brom 3A 34
Wharncliffe Gdns. SE25 6D 6
Wharncliffe Rd. SE25 6D 6
Wharton Rd. Brom 5J 9 (2D 34)
Whateley Rd. SE20 4J 7
Wheathill Rd. SE20 7G 7
Wheatsheaf Hill. Hals 5E 26
Whippendell Clo. Orp 5A 12
Whippendell Way. Orp 5A 12
Whitby Clo. Big H 1A 32
Whitebeam Av. Brom 4D 18
Whitecroft. Swan 6K 13
Whitecroft Clo. Beck 1E 16
Whitecroft Way. Beck 2D 16
Whitefield Clo. Orp 7B 12
Whitefoot La. Brom 1D 8
Whitehall Rd. Brom 2A 18
White Hart Rd. Orp 4K 19
White Hart Slip. Brom 6H 9 (3C 34)
Whitehaven Clo. Brom 1H 17 (7B 34)
White Horse Hill. Chst 1D 10
Whitehorse La. SE25 1C 14
Whitehorse Rd. Croy & T Hth 4B 14
White La. Tats & T'sey 5A 32
Whiteley Rd. SE19 2C 6
White Lodge. SE19 4A 6
Whiteoak Ct. Chst 3D 10
White Oak Ct. Swan 7K 13
White Oak Dri. Beck 6D 8
White Oak Sq. Swan 7K 13 (off London Rd.)
White's Mdw. Brom 1D 18
Whitethorn Gdns. Croy 6G 15
Whitewebbs Way. Orp 5J 11
Whitewood Cotts. Tats 2B 32
Whitgift Cen. Croy 6B 14
Whitgift Sq. Croy 6B 14
Whitgift St. Croy 7B 14
Whitmore Rd. Beck 7A 8
Whitney Wlk. Sidc 3D 12
Whitstable Clo. Beck 5A 8
Whittell Gdns. SE26 1H 7
Whitworth Rd. SE25 7D 6
Wichling Clo. Orp 5C 20
Wickers Oake. SE19 1E 6
Wicket, The. Croy 2B 22
Wickham Av. Croy 6K 15
Wickham Chase. W Wick 5E 16
Wickham Ct. Rd. W Wick 6D 16
Wickham Cres. W Wick 6D 16
Wickham Rd. Beck 6C 8
Wickham Rd. Croy 6H 15
Wickham Way. Beck 1D 16
Wicks Clo. SE9 1A 10
Widecombe Rd. SE9 7D 4
Widmore 7K 9
Widmore Green 5K 9
Widmore Lodge Rd. Brom 6A 10
Widmore Rd. Brom 6H 9 (3C 34)
Wilderness Rd. Chst 4E 10
Wilks Gdns. Croy 5K 15
Will Crooks Gdns. SE9 1B 4
Willersley Av. Orp 7G 19
Willersley Av. Sidc 5K 5
Willett Clo. Orp 3H 19
Willett Way. Orp 2G 19
William Barefoot Dri. SE9 1D 10
William Booth Rd. SE20 5F 7
William Nash Ct. Orp 7B 12
William Pl. Orp 1B 20
William Wood Ho. SE26 1H 7 (off Shrublands Clo.)
Willis Rd. Croy 4B 14
Willow Bus. Pk. SE26 1H 7
Willow Clo. Brom 2C 18
Willow Clo. Orp 4A 20
Willow Grange. Sidc 1A 12
Willow Gro. Chst 3D 10
Willow Ho. Short 6F 9
Willow Mt. Croy 7D 14
Willows, The. Beck 5B 8
Willow Tree Ct. Sidc 2K 11
Willow Tree Wlk. Brom 5J 9 (2E 34)
Willow Va. Chst 3E 10
Willow Wlk. Orp 7E 18
Willow Way. SE26 1H 7
Willow Wood Cres. SE25 3D 14
Wilmar Gdns. W Wick 5C 16
Wilmington Av. Orp 6B 20
Wiltshire Rd. Orp 4K 19
Wiltshire Rd. T Hth 7A 6
Wimbledon F.C. 1D 14
Wimborne Av. Orp 1J 19
Wimborne Way. Beck 7J 7
Wimpole Clo. Brom 1K 17
Winchcomb Gdns. SE9 1C 4
Winchester Clo. Brom 7G 9 (6A 34)
Winchester Pk. Brom 7G 9
Winchester Rd. Brom 7G 9 (6A 34)
Winchester Rd. Orp 1B 26
Winchet Wlk. Croy 3H 15
Winchfield Rd. SE26 2K 7
Wincrofts Dri. SE9 1J 5
Windall Clo. SE19 5F 7
Windermere Clo. Orp 7E 18
Windermere Rd. Croy 5E 14
Windermere Rd. W Wick 6F 17
Windfield Clo. SE26 1J 7
Windham Av. New Ad 6E 22
Windmill Bridge Ho. Croy 5D 14 (off Freemasons Rd.)
Windmill Dri. Kes 1K 23
Windmill Gro. Croy 3B 14
Windmill Rd. Croy 4B 14
Windsor Clo. SE27 1B 6
Windsor Clo. Chst 2E 10
Windsor Dri. Orp 3K 25
Windsor Gro. SE27 1B 6
Windsor Rd. T Hth 6A 6
Windy Ridge. Brom 5B 10
Wingate Rd. Sidc 3B 12
Winlaton Rd. Brom 1E 8
Winnipeg Dri. G Str 3J 25
Winn Rd. SE12 5A 4
Winston Ct. Brom 2E 34
Winterborne Av. Orp 7G 19
Winterton Ct. SE20 6F 7
Winton Ct. Swan 1K 21
Winton Rd. Orp 1E 24
Winton Way. SW16 2A 6
Wireless Rd. Big H 4F 29
Wirrall Ho. SE26 1F 7
Wirral Wood Clo. Chst 3D 10
Wisbeach Rd. Croy 2C 14
Wisley Rd. Orp 4K 11
Wistaria Clo. Orp 6E 18
Wisteria Gdns. Swan 6J 13
Witham Rd. SE20 7H 7
Withens Clo. Orp 1B 20
Witherston Way. SE9 6F 5
Witley Cres. New Ad 3D 22
Wittersham Rd. Brom 2G 9
Wiverton Rd. SE26 3H 7
Wixom Ho. SE3 1B 4
Woburn Ct. Croy 5B 14
Woburn Rd. Croy 5B 14
Woldham Pl. Brom 1K 17
Woldham Rd. Brom 1K 17
Wolds Dri. Orp 1D 24
Wolfe Clo. Brom 3H 17
Wolfington Rd. SE27 1A 6
Wolsey Cres. New Ad 5D 22
Wolsey M. Orp 2J 25
Woodbank Rd. Brom 1G 9
Woodbastwick Rd. SE26 2J 7
Woodberry Gro. Bex 1J 13
Woodbine Gro. SE20 4G 7
Woodbine Rd. Sidc 5K 5
Woodbury Clo. Big H 7H 29
Woodbury Clo. Croy 6E 14
Woodbury Ho. SE26 1F 7
Woodbury Rd. Big H 7H 29

Y

Z